Os 36 estratagemas

Manual secreto da ARTE DA GUERRA

ANÔNIMO CHINÊS

Os 36 estratagemas

Manual secreto da ARTE DA GUERRA

Traduzido do chinês, apresentado e comentado por Jean Levi.
Tradução do francês para o português por Mariana Echalar.

Principis

Os 36 estratagemas, anônimo chinês

Traduzido do chinês, apresentado e comentado por Jean Levi.
Tradução do francês para o português por Mariana Echalar.

Título Original

Les 36 Stratagèmes – Manuel Secret de L´art de la Guerre

Diretor Editorial: Donaldo Buchweitz

Projeto gráfico: Editorial Ciranda Cultural

Tradução: Mariana Echalar

Revisão: Vera Ayres

Dados Internacionais de Catalogação na Publicação (CIP)
Câmara Brasileira do Livro, SP, Brasil

Anônimo chinês

Os 36 estratagemas : manual secreto da arte da guerra / anônimo chinês ; traduzido, apresentado e comentado por Jean Levi do chinês ; tradução do francês para o português por Mariana Echalar. – São Paulo, SP : Ciranda Cultural Editora e Distribuidora Ltda., 2007.
Título original : Les 36 stratagèmes : manuel secret de l'art de la guerre.
ISBN: 978-85-7520-940-0

1. Arte e ciência militar – Obras anteriores a 1800 I. Levi, Jean. II. Título.

07-9689 CDD - 355

Ciranda Cultural

Rua Frederico Bacchin Neto, 140 – Cj. 6 – São Paulo – SP
Tel.: (11) 3761-9500 – www.cirandacultural.com.br

Impresso no Brasil

SUMÁRIO

APRESENTAÇÃO

Os 36 estratagemas é um livro misterioso. Tão misterioso que podemos perguntar se, realmente, se trata de um livro. Diz a lenda que o fino opúsculo no qual se baseiam todas as edições, exegeses e traduções modernas teria sido redescoberto em 1941, após um longo eclipse, em uma livraria do Shanxi, na forma de apêndice manuscrito a um tratado, também manuscrito, consagrado à arte de alimentar o princípio vital, cujo título era *Os 36 estratagemas* e o subtítulo, *Manual secreto da arte da guerra*. O apêndice militar foi impresso sob a forma de um fascículo independente, no mesmo ano por uma editora de Chengdu, então capital do Guomindang, em meio à indiferença geral. Uma nova edição deveria ser publicada muitos anos depois, em 1962, pelo departamento de arquivos do exército de libertação e reservado ao uso interno, depois que um artigo do *Guangming ribao* destacou seu interesse no campo estratégico. Mais tarde, a obra teria várias reimpressões e se tornaria um dos tratados militares mais lidos do planeta, ao lado de *A arte da guerra*, de Sun Tzu.

O tratado dos *36 estratagemas,* hoje em circulação, dataria do fim dos Ming ou do início dos Qing e emanaria desse meio de sociedades secretas antimanchus, que floresceram durante esse período. Na verdade, se existe "segredo", trata-se de um segredo de polichinelo. A maioria das expressões que serve de título às diferentes combinações constituintes à lista dos 36 estratagemas são ditados ou provérbios arquicélebres. Mas não são apenas os títulos que fazem parte de um fundo cultural universalmente compartilhado; as ilustrações fornecidas pelo comentário são, elas mesmas, decalques. Nenhum mistério nisso tudo. De todo o modo, as verdadeiras receitas secretas não se transmitem jamais por escrito, mas oralmente, de mestre para discípulo. Como proclama Tchuang-tseu, o grande filósofo taoísta do século IV a.C.: "O que os antigos não puderam transmitir oralmente está morto, e os livros são apenas dejeções destes".

Assim, ninguém deve procurar, aqui, procedimentos secretos que permitam ao homem de Estado conquistar um universo, ao empresário construir um império industrial, ao diretor comercial ganhar partes de mercado e, de maneira geral, eliminar os concorrentes, subir mais alto que os colegas, chegar ao topo da escada social com o único fito de se deleitar com a derrota dos inimigos e com a inveja dos amigos. É de se temer que, destinando-o a uso semelhante, sejam-nos reservadas umas tantas desventuras e que, mais do que um Napoleão Bonaparte, tenhamos o destino de um César Birotteau[1]. O interesse do livro é outro: reside na excentricidade da forma, que mal faz dele um livro, ou um livro semivirtual. Ele funciona como esses testes psicológicos que apresentam manchas de contornos imprecisos, mas sugestivos, nas quais cada um é livre para projetar sua subjetividade. Foi desejo consciente do autor anônimo – ou dos autores? A composição pede continuação, solicita exegese, fornece pretexto tanto para digressões metafísicas quanto para ilustrações concretas.

De fato, o núcleo da obra compõe-se de uma lista de 36 estratagemas, escolhidos entre a centena recenseada ao longo da história da China, enunciados na forma de locuções proverbiais quadrissílabas, geralmente imagéticas (com exceção dos seis últimos) e distribuídos em seis cadernos, com seis ardis cada um. Esses ditados são explicitados de modo tão enigmático quanto lapidar e associados aos hexagramas do *Livro das mutações* ou, ao menos, à sua fraseologia. A tradução do provérbio na linguagem da dialética yin-yang, fornecida pela explicação, é acompanhada de um comentário que esclarece a mensagem crítica através de uma ilustração literária ou histórica. Desse modo, *Os 36 estratagemas* se apresenta como esses textos embutidos da antiguidade chinesa, em que uma fórmula muito densa e crítica, que forma o enunciado canônico, é desenvolvida em uma explicação, que deixa entrever o significado, porém necessita de uma glosa mais desenvolvida para ser compreendida, a qual, por sua vez, requer uma exegese, para ser plenamente aprendida.

A idéia de associar um hexagrama a uma invenção ou atividade é muito antiga. Remonta, no mínimo ao *Grande comentário*, um dos principais apêndices do *I Ching*, composto provavelmente no século III a.C. e que descreve, no início da segunda parte, a história da civilização na forma de uma série de hexagramas. Sendo esses a expressão simbólica das leis naturais, todas as invenções, transcrições da ordem das coisas dentro da ordem social, têm, como matriz, figuras divinatórias, de modo que *O livro das mutações*, como um todo, dá a representação total e eficaz do universo e das forças ocultas que nele operam.

---

[1] Personagem do romance *A história da grandeza e da decadência de César Birotteau*, de Honoré de Balzac. Pequeno comerciante que faz fortuna, mas se envolve com escroques e vai à falência. [N. T.]

Embora, apenas no século XVII, as operações militares tenham se tornado objeto de uma aproximação sistemática com as figuras e as expressões do *I Ching*, a ciência das mutações está ligada às atividades marciais desde as épocas mais remotas. O exame dos sinais e a interpretação das configurações divinatórias requerem as mesmas qualidades de dedução e de observação peculiares ao chefe de guerra. Para Sun Tzu, somente o grande capitão e o sábio soberano são capazes de prever, graças ao perfeito conhecimento do presente, o que ainda está apenas em germe. Se vêem longe é porque sabem prestar atenção aos detalhes. Entre a interpretação dos sinais tênues, que revelam as intenções do adversário e a leitura das figuras compostas pela combinação das linhas pares ou ímpares dos hexagramas, não há solução de continuidade: é uma mesma apreensão do tempo e de suas transformações, um mesmo interesse pelos "traços" ou sinais prenunciadores de acontecimentos futuros. A inteligência arguta aproxima-se do pensamento divinatório, na medida em que não visa a um conhecimento direto, imediato do real, mas lê os acontecimentos como sintomas. Toda a ciência do *I Ching* se baseia no postulado de que o futuro já está no presente em estado de germe. O yang contém em si o yin e vice-versa. É dessa presença do elemento oposto nos dois princípios que movem o universo, que nasce a mudança, estado constitutivo do cosmo. Sendo assim, prever, isto é, acompanhar as mutações, que resultam da transformação do yin em yang e do yang em yin, resume em captar esse nada significativo que o prefigura. O indício é aquilo que ainda não é o acontecimento, porém não é mais totalmente sua ausência. É por isso que o *Grande comentário* do *Livro das mutações* explica: "A tenuidade é aquilo que abandonou o não-ser para entrar no ser. Ela tem uma norma sem ter ainda uma forma. Portanto, não se pode apreendê-la por meio de um nome nem percebê-la por meio de uma forma". A arte do adivinho, assim como do estrategista, é a ciência do não-ser ou do não-ainda-advindo. A inteligência do chefe de guerra, assim como do homem de Estado, que se confundem com freqüência desde muito antigamente, consiste em perscrutar os sinais ínfimos do presente, a fim de conhecer as transformações no longo termo. Para os homens voltados exclusivamente para o domínio do futuro, tudo é sinal: o mundo é um livro cheio de símbolos e indícios que revelam os segredos do tempo a quem tiver a chave para decifrá-los. Ou para usar a bela fórmula de um filósofo da época dos Reinos Combatentes: "O sábio é aquele que ouve o que não tem som e vê o que não tem forma".

É claro, aquilo que poderíamos chamar de "mentalidade indiciativa" se manifesta nas explicações dos 36 estratagemas, nem que seja pelo expediente da linguagem dos hexagramas para fundar na realidade o mecanismo dos estratagemas; evidentemente que o autor está impregnado desse pensamento inteiramente voltado para a apreensão do jogo de forças, que anima o espaço e o tempo e provoca as mutações; é óbvio que ele adere plenamente ao postulado de que o real se resume a situações instáveis, a configurações estratégicas transitórias, das quais se deve saber tirar partido no momento oportuno e cuja expressão mais bem-acabada é *O livro das mutações*; mas não resta dúvida de que ele soube manter uma distância irônica de seus pressupostos. O autor brinca com os hexagramas e com as expressões associadas a eles, chegando a compor paródias de interpretações oraculares e até recorrendo a trocadilhos para fazer as sentenças crípticas do *I Ching* se ajustarem às combinações estratégicas. A malícia que aflora, ao longo das páginas, eclode no ponto final, pois há como negar uma parte de graça num tratado de estratégia que termina com... a fuga como supremo ardil de guerra? Obviamente, poderíamos argumentar que o compilador dos 36 estratagemas se insere na tradição, porque, já no século VI, ao saber que o filho do imperador, em conseqüência dos reveses militares sofridos, aconselhara o pai a abandonar a capital, o rebelde Wang King-tsö caiu na gargalhada: "O melhor estratagema do mestre Tan ainda é a fuga. Aqueles dois fazem muito bem em adotá-lo!". Mas é evidente que a exclamação de Wang King-tsö é irônica, e que a fuga do imperador, se é que houve, não foi nada estratégica. Esse aspecto lúdico passou completamente despercebido. No entanto, é o traço mais importante do opúsculo.

Quando consideramos o texto sem os antolhos impostos pela estratégia séria, temos a impressão de um divertimento de homens letrados. Eles não eram fanáticos por mutações, devoradores de literatura estratégica, leitores de crônicas e amantes de romances e peças de teatro? Ao meu ver, é isso que faz o charme da obra e também explica porque, à maneira de um cadáver excelente[2], ela possa tomar formas diversas e nunca seja, exatamente, a mesma nem, estritamente, outra, para cada tradutor ou comentador. No mais das vezes, os editores e exegetas modernos mantêm

[2] Jogo surrealista que consiste em cada jogador escrever uma palavra num pedaço de papel e passá-lo adiante a fim de compor uma frase. [N. T.]

o núcleo formado pelas explicações e pelo comentário e, após os esclarecimentos necessários para que um leitor contemporâneo compreenda o texto, acrescentam considerações gerais sobre a ação estratégica, ilustradas com exemplos diversos e variados, de modo que os 36 estratagemas, propriamente ditos, representem apenas uma ínfima parte da obra. Às vezes, os autores-exegetas-compiladores conservam apenas uma parte do núcleo do opúsculo – a explicação –, substituindo as ilustrações históricas do comentário antigo por outras de sua lavra e adicionando suas próprias considerações metafísicas (quando não lições de como alcançar o sucesso). É assim a recente versão italiana de Leonardo Vittorio Arena, publicada em 2006. Outros ainda, como Harro von Senger, preferem ver, nos 36 estratagemas, apenas um simples repertório e passam por cima das explicações com comentários próprios, concedendo um interesse moderado à relação entre os estratagemas e as figuras do *Livros das mutações*, mas esbanjando anedotas. Como se vê, cada um compõe seu próprio tratado dos 36 estratagemas.

Num primeiro movimento, pensei em fornecer unicamente a tradução desse núcleo constituído pelos provérbios e pelas explicações que os associam aos diagramas oraculares, acompanhado do aparelho crítico indispensável à compreensão de uma prosa alusiva e enigmática. Logo, dei-me conta de que o resultado seria um texto exangue, hermético, que não corresponderia absolutamente ao espírito do original. Assim, precisei enriquecê-lo com explicações filosóficas, glosas históricas e, por fim, anedotas; e, de assunto em assunto, uma história levando a outra, um desenvolvimento abstrato pedindo uma ilustração concreta, considerações sobre o pensamento chinês dos correlatos exigindo o recurso à filosofia ocidente, eu me vi compondo, a contragosto, meus próprios 36 estratagemas. Tive de me resignar, caí na armadilha do mesmo modo que os outros! Essa desventura me esclareceu sobre a verdadeira natureza da obra: trata-se menos de um livro – ou texto – que de uma isca. Para resumir, ela funciona como essas diretrizes dadas pelos reis ou rainhas efêmeros das jornadas do *Decamerão*: é pretexto para histórias, mas, assim como em Boccaccio, para epílogos e considerações filosóficas sobre essas histórias. De fato, o paralelo com Boccaccio não é arbitrário. Ele se impõe como uma evidência. É estranho que, na imensa literatura gerada nesses últimos anos, pelos *36 estratagemas*, tanto no Ocidente quanto no Oriente, ele nunca seja citado, nem mesmo incidentalmente, entre os exemplos de boas troças. No entanto, não só várias novelas de Boccaccio funcionam com base no modelo das armadilhas descritas no catálogo chinês dos *36 estratagemas*, como também o próprio ardil é teorizado nele. O herói de Boccaccio não está completamente à mercê do *ingenio*, como o de Balzac ou de Stendhal e habitado pela vontade?

Os especialistas do pensamento estratégico chinês se comprazem em destacar a carência de uma teoria do ardil no Ocidente, embora aqui a prática do engodo seja moeda corrente. Do mesmo modo, ressaltam o parentesco, no plano, tanto filológico quanto conceitual, entre a sabedoria e o ardil. Claramente distintos no Ocidente, são designados na China pela mesma palavra *tche*. É evidente que as coisas são muito mais complexas do que poderiam levar a crer um Harro von Senger e seus êmulos. O ardil ocupa uma posição de destaque no Ocidente, já que nos mitos gregos é graças a ele que Zeus alcança a soberania absoluta. Diferentemente de seu pai, Crono, o olimpiano, não pode mais ser privado de sua autoridade, uma vez que engoliu Métis, a divindade do ardil e da presciência. Zeus não possui simplesmente *kratos* (força), mas possui também astúcia. Ingerindo Métis, tornou-se o "previdente", aquele que é capaz de urdir planos que ultrapassam o entendimento dos mortais e dos deuses e que, tudo adivinhando graças a sua inteligência arguta, frustra todos os complôs. Na China, ao contrário, o ardil goza de um *status* mais ambíguo do que gostariam de admitir os especialistas. Como especulação sobre o curso do tempo, o ardil, incapaz de abarcar a seqüência infinita de acontecimentos futuros, é necessariamente saber pequeno, conhecimento no curto termo. Todo sucesso é precursor do fracasso e, reciprocamente, todo fracasso pode se transformar em sucesso. Essa é a razão que *Lao-tsé* nos aconselha a "rir de nossas lágrimas e chorar de nossas alegrias". É por isso também que o mesmo *Lao-tsé* pôde dizer: "A previdência é a excrescência do Tao, a antecâmara da estupidez". A verdadeira sabedoria consiste em saber que os ardis do homem, com sua capacidade intelectual limitada, sempre serão frustrados pelos ardis do tempo. Assim, a santidade confucionista, a forma ritualizada da sabedoria, o não-agir taoísta, sua forma mística, e a necessidade estatal legista, sua forma burocrática, fornecem as três respostas para o questionamento das suputações ardilosas que correspondem às três principais opções filosóficas. Não se pode negar o interesse dispensado pelo pensamento chinês à noção de mudança, mas tampouco se deve negligenciar a importância dada ao imutável. O Tao governa as mudanças, mas não é submetido a elas; assim, somente a sabedoria, e não a inteligência, permite apreendê-lo. A grande diferença entre filosofia chinesa e filosofia ocidental não reside tanto na oposição, entre pensamento do móvel e pensamento do eterno, entre pensamento da imanência e pensamento da transcendência, mas antes, se é necessário estabelecer dicotomias à viva força, entre pensamento do ser e pensamento do não-ser.

Se os chineses teorizaram o ardil nos tratados de estratégia, os europeus o formalizaram nas intrigas romanescas. Em toda iniciativa comparatista, é necessário, sem dúvida nenhuma, destacar a diferença de identidade, mas é igualmente indispensável reconhecer a identidade da diferença, sem o que ficamos como os macacos que não sabem calcular da fábula de Tchuang-tseu, que, incapazes de compreender que não ganhavam nada comendo quatro castanhas de manhã e três à noite, ao invés de três de manhã e quatro à noite, se deixaram levar pelo tratador!

Para não dar um tom pedante à obra nem trair sua dimensão lúdica, tomei o cuidado de evitar os caminhos demasiado batidos da literatura estratégica e traçar aproximações esdrúxulas na medida em que permitiam mostrar as estratégias sob uma luz menos convencional, mas talvez mais verídica. Do mesmo modo, recorri a exemplos que podem parecer insólitos à primeira vista, mas têm o mérito de evidenciar o lado "jogos e brincadeiras" dos estratagemas chineses, aspecto que nunca é demais sublinhar. Resta pouca dúvida de que Luz da Razão, aliás Tchou-kö Leang, o genial estrategista dos *Três reinos*, figura paradigmática do sábio que vê longe porque percebe o oculto, faria um grande sucesso no concurso Lépine[3], com suas invenções tão mirabolantes quanto improváveis! É por isso também que fiz vastos empréstimos a autores que não é comum citar em se tratando de ciência estratégica; refiro-me, entre outros, a Henry James, Agatha Christie, condessa de Ségur e, muito particularmente, Boccaccio – uma maneira de homenagear e fazer justiça às suas engenhosas heroínas, verdadeiros estrategistas de saias, que dariam boas lições a um Ts'ao Ts'ao. Para dizer a verdade, eu poderia muito bem imaginar uma coletânea de

[3] Concurso criado em 1901 por Louis Lépine para estimular artesãos e inventores. Apresentou ao mundo algumas invenções muito úteis, como a caneta esferográfica, o ferro a vapor e as lentes de contato. [N. T.]

novelas em que seis personagens, após um terrível cataclismo qualquer, desencadeado por essa fúria assassina dos homens que se tenta disfarçar sob o nome de ação estratégica – hipótese bastante verossímil, do modo como vão as coisas – reuniriam-se num lugar encantador milagrosamente preservado e, para passar o tempo da maneira mais agradável, decidiriam reservar algumas horas do dia (exceto o domingo, dedicado ao descanso) para contar histórias cujo tema seria, a cada vez, um dos 36 estratagemas, durante seis semanas, o que daria 36 dias...

Assim, cada leitor deve tomar os exemplos e as considerações fornecidos aqui, antes de tudo, como um estímulo para bordar na trama dos 36 estratagemas os festões de seus próprios ardis e de suas próprias intrigas, como num jogo letrado.

CONSIDERAÇÕES GERAIS

Seis vezes seis são 36: planos incluídos nos números, números incluídos nos planos. Da perfeita dosagem do manifesto e do oculto, resulta a armadilha. Não existe ardil preconcebido; todo ardil preconcebido está fadado ao fracasso.

Comentário:

As explicações enfatizam os números, em vez dos princípios; os princípios deduzem-se naturalmente dos enunciados, ao passo que os números estão além das palavras. Se nos prendermos unicamente aos estratagemas sem compreender que os números estão aí implicados, a maioria das combinações não funcionará.

Manigâncias e estratagemas têm origem no curso das coisas e na natureza humana. Por agir contra a norma, o caráter insólito da mentira aparecerá, provocando surpresa e suscitando desconfiança; a armadilha não tardará a ser descoberta.

De acordo com outra interpretação, os 36 estratagemas estão repartidos em seis cadernos: o primeiro trata da guerra vitoriosa; o segundo, da guerra de resistência; o terceiro, da guerra ofensiva; o quarto, da guerra confusa; o quinto, da guerra de anexação; e o sexto, da guerra perdida.

Os exegetas, tanto chineses quanto ocidentais, emitiram as mais diversas conjeturas para explicar o número 36, sem que nenhuma seja de fato convincente. Para compreender seu significado e penetrar suas implicações filosóficas ocultas, é preciso retornar à estrutura do *Livro das mutações*. Este se compõe de 64 hexagramas, que se obtêm pela sobreposição de dois trigramas formados por linhas inteiras (masculinas-ímpares) ou quebradas (femininas-pares). No entanto, como todo hexagrama possui um contrário obtido por simples inversão da figura – com exceção dos oito hexagramas que, sendo formados pela repetição de um trigrama, são seu próprio contrário –, bastam 36 hexagramas para representar o conjunto dos 64. Portanto, o número 36 simboliza a totalidade do real, lembrando ao mesmo tempo a parte implícita que ele contém. O visível é apenas uma das faces de uma realidade dupla, sem que haja uma verdade que dissimule o véu das aparências, pois a realidade é seu próprio véu. O invisível não está atrás da imagem, mas no interior da imagem, mais ou menos como essas anamorfoses em que basta uma ligeira mudança de perspectiva para que surja um quadro diferente, com os contornos revelados se esbatendo e se recompondo numa outra estrutura. Cada hexagrama é, em conjunto, ele mesmo e outro, tão logo seja invertido: a Estagnação (*P'i*) é a Harmonia (*T'ai*); a Desagregação (*Po*) é a Renovação (*Fou*); a Diminuição (*Souen*) é o Aumento (*Yi*). Essa dimensão secreta, inscrita em filigrana nos lineamentos do visível, é o motor das mutações que afetam os fenômenos e os constitui como tais. A dualidade dos emblemas divinatórios fornece o modelo do funcionamento dos estratagemas na medida em que estes, para atingir seus objetivos, devem "se conformar à razão das coisas e à natureza humana", segundo os próprios termos do comentário. Portanto, eles se aplicarão a travestir o segredo, manifestando-o na própria aparência. Por isso, a fórmula explicativa diz: "Planos incluídos nos números, números incluídos nos planos".

Além disso, sendo 36 o quadrado de seis, ele também vale para as seis linhas que compoem cada figura, multiplicadas pelas seis formas de luta, que de resto correspondem aos *Seis Arcanos*, um dos grandes clássicos da estratégia, posto sob o patrocínio de T'ai-kong Wang, o sábio conselheiro graças ao qual T'ang, o vitorioso, conseguiu derrubar a dinastia dos Hsia e subir ao trono do dragão.

Da mesma maneira, é preciso entender o termo *chou* (número) não na acepção de "fatores", "estatísticas" ou "cálculos" como lhe é dada nos textos estratégicos, mas no sentido que ele tem nos textos divinatórios, isto é, uma combinação de seis linhas inteiras ou partidas, que representam o par e o ímpar e se distribuem de acordo com posições também elas pares ou ímpares. Desde os tempos mais remotos, os símbolos foram associados a números: "A adivinhação por intermédio da tartaruga dá os sinais; a adivinhação por intermédio dos caules de milefólio dá os números. Quando uma entidade nasce, ela se manifesta por sinais; multiplicando-se, esses sinais dão números", diz o comentário de Tsouo aos *Anais do principado de Lou*, redigido por volta do século IV a.C. Os números designam assim, de um lado, o número simbólico de 36 ardis e, de outro, as configurações hexagramáticas que são atribuídas a quase cada um dos estratagemas. O autor, ao privilegiar os algoritmos do *I Ching* em detrimento da linguagem discursiva, insere-se na linha do *Grande comentário* do *Livro das mutações*, que afirma: "A escrita não esgota a palavra; a palavra não esgota a intenção [...]. Essa é a razão por que o sábio inventou as figuras para manifestar as intenções, e definiu os hexagramas para desenredar o verdadeiro do falso".

Capítulo I

Estratagemas da guerra vitoriosa

满天过海
MAN TIAN GUO HAI

PRIMEIRO ESTRATAGEMA

Atravessar o mar à revelia do Céu

Acautelando-se de tudo, a vigilância adormece; um espetáculo familiar não desperta suspeita. O oculto está no coração do manifesto, não em seu contrário. Nada é mais escondido que o mais aparente.

Comentário:

Não se deve executar os desígnios em momentos indevidos ou lugares afastados. Arrombar uma casa na calada da noite ou apunhalar alguém na virada de uma ruela é do feitio de um bruto, não de um estrategista.

Quando Kong Jong se encontrou sitiado, o general T'ai-che Ts'eu devia atravessar as linhas inimigas para buscar reforços. Ele imaginou o seguinte plano, pondo-o em prática: chicote na mão e arco a tiracolo, ele saiu pelos portões escoltado por dois outros cavaleiros que carregavam alvos, causando estupor tanto entre os sitiados quanto entre os sitiantes. Alcançou o aterro abaixo dos muros, mandou que instalassem ali os alvos e exercitou-se no arco. Esgotadas as flechas da aljava, voltou para a cidade. No dia seguinte, repetiu o exercício; apenas metade dos sitiantes levantou-se para observá-lo. Após vários dias dessa manobra, mais ninguém deu atenção a ele. Numa bela manhã, terminados os preparativos e tomado rapidamente o desjejum, ele montou em seu cavalo, esporeou e atravessou as linhas adversas a galope. Antes que os inimigos se dessem conta, ele já estava longe.

❖❖❖

A expressão proverbial quadrissilábica chinesa traduzida por "atravessar o mar à revelia do Céu" inspira-se no célebre episódio histórico em que o general-em-chefe do imperador T'ang T'ai-tsong conseguiu embarcar seu mestre numa expedição marítima contra a Coréia, fazendo-o acreditar que estava em visita na casa de um fidalguete, quando, na verdade, graças a uma hábil camuflagem, estava a bordo de uma nau almiranta e vogava entre as ondas. A palavra *t'ien* designaria, portanto, não o Céu, mas "o filho do Céu" – o imperador da China –, e uma tradução mais fiel seria: "fazer o imperador atravessar o mar à sua revelia", ou melhor, "fazer o imperador entrar de gaiato no navio". Entretanto, na medida em que são freqüentes os desdobramentos de sentido das locuções proverbiais com relação ao contexto original, não é certeza de que fosse assim que a entendia tanto o autor como o comentador dos estratagemas. Para eles, ela devia ter o sentido mais geral de cumprir uma ação patente debaixo do nariz e das barbas de todos.

A fórmula: "O oculto está no coração do manifesto, não em seu contrário. Nada é mais escondido que o mais aparente" remete ao sistema geral de interpretação do real fornecido pelas *Mutações*. Uma tradução literal da expressão daria algo como: "O yin está no interior do yang, ele não está no oposto. O yang extremo é o yin extremo". Na China, não existe mediação nem superação no confronto dialético das duas modalidades antagonistas e complementares do ser – yin e yang –, na medida em que a superação é a própria negação, ou melhor, a superação é a negação levada ao paroxismo. E isso, simplesmente porque cada um dos dois modos abriga em si o princípio contrário, que, ao mesmo tempo, dá-lhe eficiência e constitui a condição de sua mutalidade. Assim, o *Grande comentário* do *I Ching* contém a seguinte afirmação: "Os trigramas yang contêm uma maioria de traços yin; os trigramas yin, de traços yang; é por isso que os primeiros são ímpares e os segundos são pares". Do mesmo modo, na ordem cósmica, os princípios celestes e terrestres engendram os elementos opostos às suas virtudes: o Céu, masculino, dá origem à água, feminina, e, portanto, yin; a Terra, yin, produz emanações ígneas, masculinas, e, portanto, yang, à imagem do trigrama do fogo, que contém a água em seu bojo, e do trigrama da água, que encerra o fogo dentro de si. As ordens natural e humana são fundadas e produzidas pela alternância do yin e do yang, que se sucedem pela inversão dos extremos: o yang em seu apogeu já começa a se abolir no yin e, inversamente, o yang em sua fase ascendente é o yin em seu apogeu. Mas o apogeu de um ou outro marca seu eclipse e o grau de maior potência da força complementar: a paz é a guerra em seu ponto derradeiro; a clemência são os castigos que atingiram o ponto de mais alta brutalidade. Assim, o *nec plus ultra* da arte da guerra é jamais combater e a perfeição dos suplícios é jamais se aplicar. Do mesmo modo, o oculto reside na aparência mais manifesta, tanto que a maior patifaria se apresenta sob o aspecto da mais perfeita ingenuidade. Recorrendo aos conceitos de yin e yang para formalizar os mecanismos do engodo, *Os 36 estratagemas* se inserem na mais antiga tradição estratégica chinesa. Com inflexões quase líricas, Sun Tzu emparelha a ação do grande chefe de guerra com o movimento cósmico manifestado pelo ciclo dos cinco elementos, posto em marcha pela interação do yin e do yang:

"Quem sabe usar meios extraordinários é infinito como o céu e a terra, inesgotável como a água dos grandes rios. É o sol e a lua que desaparecem e reaparecem alternadamente; é o ciclo das estações que expiram e renascem em uma ciranda sem fim! Ainda que existam apenas cinco notas, cinco cores e cinco sabores fundamentais, nem a audição, nem a visão, nem o paladar pode esgotar suas combinações infinitas. Ainda que o dispositivo estratégico se resuma às duas forças, regulares e extraordinárias, elas engendram combinações tão variadas que o espírito humano é incapaz de abarcá-las todas. Produzem uma a outra para formar um anel que não tem fim nem começo. Quem, então, poderia lhe dar a volta toda?"

A explicação dos *36 estratagemas* parece ficar aquém das implicações metafísicas da fórmula hexagramática para se prender a essa constatação, afinal banal, de que um espetáculo familiar acaba por adormecer a desconfiança, de maneira que por trás do véu do cotidiano se pode urdir estratagemas insólitos.

Os exegetas modernos se comprazem em dar como aplicação particularmente bem-sucedida desse estratagema a carta roubada de Edgar Alan Poe. Poderíamos citar do mesmo modo a novela de Borges que faz parte de *Ficções* e se intitula: "O jardim dos caminhos que se bifurcam". Um chinês, Yu Tsun, agente secreto que trabalhava para os alemães durante a Primeira Guerra Mundial, quando estava a ponto de ser preso, foi à casa de um certo Stephen Albert, que ele não conhecia, e, depois de conversar com ele, matou-o. O espião foi preso e condenado à forca. Na verdade, Yu Tsun cumpriu sua missão: ao ler os jornais, seus chefes souberam que o ponto de concentração da artilharia aliada era a aldeia de Albert. Isso é uma primeira aplicação do estratagema: nada é menos secreto que o relato de uma notícia num jornal. Esse, porém, é somente o primeiro grau – trivial, dado que policial ou militar – da combinação. A história desdobra-se em outra narrativa, engastada nessa trama policial à qual ela dá sua dimensão alegórica. Acontece que esse tal Albert era, por um grande acaso – um acaso borgiano, entenda-se –, um sinólogo que se debruçou sobre o enigma apresentado pelas obras do ancestral de Yu Tsun, Ts'ui Pên, autor de um romance indecifrável e inventor de um labirinto inencontrável, e conseguiu resolvê-lo: o labirinto e o livro são a mesma e única coisa, o romance *O jardim dos caminhos que se bifurcam*. Assim, o mistério vem do fato de que "o mais oculto está no mais manifesto". O labirinto é inencontrável porque se apresenta na forma evidente, à vista de todos, de uma obra destinada a um largo público – pois essa é a vocação desse gênero literário. Mas se considerarmos que a atividade romanesca, na medida em que é ficção e, portanto, arte do engodo, segue regras estéticas, então a novela inteira do escritor argentino revela-se uma série em cascata da fórmula "atravessar o mar à revelia do Céu". O romance de Ts'ui Pên apenas reproduz o próprio procedimento da história que o engloba: com efeito, esse *Jardim dos caminhos que se bifurcam*, escrito por Borges, não põe em cena histórias que nunca são mais do que o reflexo divergente de uma única e mesma intriga, em que a realidade não apresenta outro segredo além de ser seu próprio segredo? É o que torna seu mistério propriamente abissal.

E já que estou evocando as intrigas romanescas como aplicações ou ilustrações possíveis de combinações estratégicas, os mais belos exemplos de uso do procedimento que consiste em "atravessar o mar à revelia do Céu" talvez não estejam nas narrativas de Borges, cuja sofisticação e virtuosidade demasiado evidentes revelam de pronto suas motivações, mas em certas novelas de Henry James. Refiro-me, entre outras, a *A fera na selva*. O drama de *A fera na selva* vem da incapacidade do herói compreender que o acontecimento que deve transfigurar sua existência e dar sua razão de ser acontece debaixo de seus olhos, enquanto ele se agarra à espera inútil de sua vinda; tanto que toda a sua vida – e a de sua companheira – não passa de um imenso vazio, vazio de uma espera não satisfeita, porque o milagre esperado – o amor – se dá à sua revelia, enquanto ele o espreita onde não ocorrerá, nas profundezas de um ilusório segredo.

Em um registro bastante diferente, o estratagema é um daqueles a que recorrem, de muito bom grado, as mulheres quando querem engabelar os maridos, tanto na China quanto no Ocidente. E temos surpresa em ver tal expediente, contado por um autor chinês do século IV a.C., Han Fei, em suas *Charadas interiores*, repetido quase palavra por palavra em Boccaccio.

Querendo ilustrar os perigos da delegação de poder aos subalternos, o filósofo legista contará esta historieta tirada da vida cotidiana:

"Apesar de não sofrer de perturbações mentais, um habitante do Yen lavou-se em urina de cachorro. Eis como a coisa se deu:

Um homem chamado Li Ki viajava muitas vezes para longe, e sua mulher aproveitou-se disso para arranjar um amante. Um dia, o marido voltou para casa, enquanto o libertino ainda se encontrava ali. A culpada, apavorada, não sabia mais a que santo recorrer. A criada então tomou as rédeas da situação:

– Diga a seu amigo que tire as roupas, desate o coque e saia correndo. Diremos que não vimos nada.

Diante do espetáculo do amante saindo nu pela porta, Li Ki exclamou:

– Que energúmeno é esse?

As mulheres da casa gritaram todas de uma única e mesma voz:

– Onde? Não tem ninguém!

– Então eu vi um fantasma!

– Estou com medo disse a esposa.

– O que devo fazer?

– Tome um banho de mijo de cachorro, meu bichinho!

– Você tem razão!

E o marido fez suas abluções na urina."

Como não pensar nas licenciosas novelas da sétima jornada do *Decamerão*, em que uma esposa hábil faz um marido crédulo duvidar de seus sentidos, exibindo-lhe debaixo do nariz, às vezes em trajes menores, o corpo do delito, se é que podemos chamá-lo assim. O mesmo se dá na peça condenável que a ardilosa Peronella prega em seu marido, que teve o mau gosto de voltar mais cedo para casa. Ela o faz entrar num tonel, do qual o amante acabara de sair, a fim de que ele o limpasse para o pretenso comprador, o qual ela teve a presença de espírito de fazer passar por seu amigo e, à revelia do Céu – o marido, ocupado em raspar o interior da barrica –, ela atravessa um mar de delícias com o amante, que a pegou por trás, "como um garanhão pega as éguas partas", enquanto ela, com a cabeça enfiada no tonel, dá as instruções para que o esposo trabalhe direito.

围魏救赵
WEI WEI QIU ZHAO

SEGUNDO ESTRATAGEMA

Atacar o Wei para socorrer o Tchao

Mais vale um inimigo disperso a um inimigo reunido, o ataque indireto-yin a o ataque frontal-yang.

Comentário:

A conduta da guerra é como a da água. Do mesmo modo como nos contentamos em dirigir as ondas impetuosas, nós evitamos o vigor das tropas de elite, ao passo que, carentes de ímpeto, detemos os elementos mais fracos, a exemplo das barragens. Quando o Ts'i se propôs a dar uma mão ao seu aliado de Wei, mestre Sun Pin disse ao general-em-chefe das tropas de Ts'i: "Não se desembaraça uma meada aos puxões, assim como não se separam combatentes aos murros. É preciso saber evitar os obstáculos e aproveitar os vazios. É assim que as situações entravadas se resolvem por si mesmas".

❖❖❖

A expressão "atacar o Wei para socorrer o Tchao" tem origem num fato histórico. Em 354 a.C., Wei atacou o Tchao e sitiou sua capital, Han-tan. O Tchao, em apuros, pediu ajuda ao Ts'i. O general-em-chefe dos exércitos do Ts'i, T'ien Ki quis prestar socorro diretamente aos sitiados, mas Sun Pin, que o assessorava na qualidade de mestre de estratégia, dissuadiu-o, fazendo-o ver que o Wei enviara suas melhores tropas para fora das fronteiras a fim de atacar o Tchao, deixando no interior delas apenas crianças e velhos extenuados. A melhor solução consistia em investir contra a capital, Grande-Ponte, interrompendo assim as linhas de comunicação e ocupando o espaço deixado vago. O adversário seria obrigado a abandonar o Tchao para prestar socorro ao território ameaçado. Com esse único movimento, não só Han-tan seria libertada, mas ainda se desferiria um sério golpe contra o Wei. T'ien Ki seguiu o plano de seu conselheiro. O exército do Wei foi obrigado a levantar o cerco; os soldados do Ts'i entraram em combate contra Kouei-ling e infligiram-lhe uma sangrenta derrota.

O *Tratado da arte estratégica* de Sun Pin, exumado em 1972 de um túmulo, que datava dos Han, relata de forma muito mais detalhada que as *Memórias históricas* de Sse-ma Ts'ien, a manobra audaciosa do general do Ts'i. Mostra que esta, para ser coroada de sucesso, pôs, em prática, estratégias complexas. Sun Pin só pôde chegar à vitória porque conseguiu enganar o general P'ang Kiuan quanto às capacidades reais dos oficiais do Ts'i. Ele cometeu erros grosseiros de comando de modo consciente, com o intuito de poder pegar o inimigo completamente desprevenido no momento do ataque decisivo. Essa impostura exigiu que ele sacrificasse milhares de homens, de um lado, confiando um corpo de exército a dois de seus oficiais mais medíocres para que fosse destroçado e, de outro, investindo contra uma praça estratégica inexpugnável, P'ing-ling, com o risco de ver interrompidas suas linhas de provimento. Sem dúvida, graças a essa manobra audaciosa, o descendente de Sun Tzu aplicou magistralmente a divisa de seu ancestral: "Surjo onde o outro não pode me atingir, golpeio-o de imprevisto", mas à custa de um número considerável de homens enviados deliberadamente para o massacre.

借刀杀人
JIE DAO SHA REN

TERCEIRO ESTRATAGEMA

Eliminar o adversário com faca emprestada

Quando o inimigo está claramente definido, mas não os aliados, poupa-se força quando se consegue incitar um deles a suprimir o outro: aplicação estratégica da configuração do hexagrama "Diminuição".

Comentário:

Se, quando o rosto do adversário é conhecido, outra potência está em plena ascensão, ela não deixará de querer se afirmar. Então será oportuno servir-se da força montante para destruir a parte adversa; como outrora fez com sucesso Tseu-kong, discípulo de Confúcio, que preservou o Lou, abalou o Ts'i, destruiu o Wou e fortaleceu o Tsin.

Não há fonte literária que se possa associar a expressão proverbial, que serve para descrever o terceiro estratagema, cujo sentido é perfeitamente explícito.

O hexagrama *Souen*, "Diminuição" (número 41), sob cujo brasão ele está colocado, compõe-se do trigrama *Touei*, "Lago", abaixo do trigrama *Ken*, "Montanha", e simboliza o lento trabalho de sapa da água[4]. Do mesmo modo que a água, por meio de um trabalho insidioso e subterrâneo, pode destruir um corpo imponente e aparentemente firme, sem sofrer nenhum dano, um Estado pode se livrar de um poderoso rival destruindo suas alianças, exacerbando as rivalidades entre vizinhos, sem gastar seu próprio potencial ofensivo.

---

[4] A fim de facilitar para o leitor a compreensão dos desenvolvimentos relativos à figuras do I Ching, um quadro com os hexagramas foi incluído no final do volume.

Os fatos históricos aos quais o comentário faz alusão são relatados nas *Memórias históricas* de Sse-ma Ts'ien, monografia dedicada aos discípulos de Confúcio. Temendo que o homem forte do Ts'i, T'ien Chang, por razões de política interior, levasse a guerra à terra de Lou e ameaçasse assim os túmulos de seus ancestrais, Confúcio encarregou Tseu-kong, cujos talentos de sofista e de diplomata ele conhecia bem, de desviar os exércitos do Ts'i contra um outro principado. O discípulo cumpriria sua missão com sucesso. Não só ele incitou a guerra entre o Ts'i e o Wou, trabalhando assim para o enfraquecimento do Ts'i, como também, embotando as forças do Wou, preparou a derrota deste para o Tsin, que foi mantido informado das inversões de alianças em curso, enquanto o Yue, que tinha uma desforra pendente contra seu rival meridional, habilmente aconselhado pelo ardiloso discípulo, deu a estocada final, aproveitando a derrota deste diante do Tsin para pegar suas tropas pela retaguarda, esmagá-las e anexar seu território.

Os exegetas modernos, tanto chineses quanto ocidentais, fornecem inúmeros exemplos de aplicações do estratagema que extrapolam largamente o estrito quadro estratégico. O procedimento parece particularmente adequado às intrigas da vida cotidiana, à satisfação de vinganças baixas e à liquidação de conflitos de interesses entre particulares. Em suas *Florestas de anedotas* e *Charadas interiores*, Han Fei dá alguns exemplos de patifarias inspiradas nos princípios do estratagema número 3 que me parecem modelos do gênero. A sobriedade com que são relatadas as melhores maneiras de se livrar de um inimigo poderoso sem despertar suspeitas é eminentemente deleitável:

"Pimenta e Caracol alimentavam rancores um contra o outro. Sse-ma Hsi também tinha contas a ajustar com Pimenta. Ele enviou secretamente um homem de ação para assassinar Caracol, abstendo-se de dizer quem era o mandante. O príncipe de Tchong-chan, acreditando que se tratava de um golpe de Pimenta, mandou executá-lo.

Havia no principado de Tchong-chan, um príncipe de sangue pouco considerado, que seguia em péssima carruagem. Ele atraiu para si o ódio secreto de um de seus familiares. Este procurou o rei para que intercedesse a favor do príncipe:

– Os cavalos de seu filho são magros de dar dó; o senhor deveria aumentar a ração deles.

O rei recusou. Na calada da noite, o homem pôs fogo nos celeiros e nas estrebarias reais. Convencido de que o culpado era o filho, o rei mandou que ele fosse levado à justiça e executado."

Fora das fronteiras da China, um belo exemplo de recurso a esse expediente é oferecido pela maneira elegante e expedita com que a marquesa de Merteuil, em *Ligações perigosas*, se livra do visconde de Valmont, que se tornou importuno, servindo-se da espada do jovem Danceny. Mas o visconde não lhe ficaria a dever. No momento de sua morte, ele soube enrolar tão bem o ingênuo Danceny que fez dele o executor de sua vingança póstuma, fazendo-o jurar que tornaria pública a correspondência que manteve com a marquesa de Merteuil. Divulgação esta que não deixou de precipitar sua morte social. O procedimento lembra aquele de que, vinte séculos antes, fez uso Sou Ts'in, retor, ministro e agente duplo a serviço de Yen contra o rei de Ts'i. Sse-ma Ts'ien, na biografia que dedica a ele, relata assim o episódio:

"A leste, altos oficiais, invejosos do crédito de Sou Ts'in, mandaram um matador de aluguel assassinar o rival. Sou Ts'in não morreu na hora; conseguiu escapar do agressor e encontrar abrigo. O rei de Ts'i mandou que se iniciassem as diligências contra os assassinos e seus mandantes; a investigação não levou a nada. Sentindo que seu fim se aproximava, Sou Ts'in declarou ao rei:

– Se quiser me vingar castigando os culpados, é muito simples: mande que eu seja esquartejado, em praça pública, por alta traição a favor de uma potência estrangeira. Esteja seguro que meus assassinos, na esperança de alguma gratificação, se manifestarão e o senhor poderá pegá-los.

O rei obedeceu aos seus últimos desejos. Mandou que esquartejassem o cadáver e com isso pôde se certificar dos assassinos, que, como previra o maquiavélico Sou Ts'in, não deixaram de se vangloriar de seu feito depois da execução simbólica do traidor.

Quando soube do ocorrido, o rei de Yen, que com razão estava a par do verdadeiro papel de Sou Ts'in, não pôde deixar de exclamar:

– Ele é dos bons, o animal! Fez do otário o executor de sua vingança!"

以逸待劳
YI YI DAI LAO

QUARTO ESTRATAGEMA

Esperar disposto um inimigo extenuado

Minar a força do adversário para não ter de travar o combate, eis o que se chama "desbastar o duro para reforçar o mole".

Comentário:

Aqui, é descrito o método que consiste em atrair o adversário para si. Ele se anuncia assim, na *Arte da guerra*: "Via de regra, o primeiro a chegar está disposto, tem vagar para receber o inimigo; o último a chegar está esfalfado, deve travar imediatamente o combate. Quem se distingue na guerra conduz os movimentos do outro e não deixa que ditem os seus". Mas, enquanto os manuais de estratégia se limitam às operações, a máxima abarca as relações de força no seu geral. Não é tanto da escolha do terreno propício para receber o inimigo de que se trata aqui, mas das técnicas que permitem triunfar de forças numerosas com recursos reduzidos, opondo a constância à inconstância – ou ao menos uma constância superior –, a impassibilidade à exaltação – ou ao menos uma exaltação mínima. Em resumo, convém estar no centro do anel, não no seu contorno.

❖❖❖

A sentença divinatória, que serve de divisa numerológica para o estratagema, é tirada do comentário do julgamento do hexagrama 41, *Souen*, "Diminuição": "A diminuição do duro para reforçar o mole exige que se saiba aproveitar a oportunidade do momento. Aumento e diminuição, vazio e cheio, tudo deve acontecer no tempo determinado". O estratagema inspira-se no modelo fornecido pela configuração tipológica do hexagrama, em que o yin, o fraco, o pacífico, que se encontra abaixo do duro, do yang, do maciço, consegue derrubá-lo pelo incessante trabalho de sapa a que se dedica, com constância e método, tirando proveito de todas as oportunidades. Para empregar uma expressão um tanto paradoxal: seu descanso nunca deixa o adversário descansado.

Os exegetas chineses, e os tradutores ocidentais depois deles, citam entre as ilustrações a célebre batalha de Ma-ling, que mais uma vez opôs Sun Pin ao seu velho inimigo P'ang Kiuan – que o atrai para uma cilada tendo o cuidado de fazê-lo vencer as etapas à marcha forçada –, e um episódio da guerra do Yom Kippur, em que uma coluna da infantaria egípcia reedita a mesma manobra e com isso consegue aniquilar uma coluna de tanques israelenses. Han fei, em suas *Florestas de anedotas*, fornece um caso clássico.

O Wou enviou um exército ao socorro do Tch'en, atacado pelo Tch'ou. Os dois exércitos acamparam a uma distância de trinta léguas um do outro, enquanto chovia sem interrupção dez dias e dez noites. Em seguida o tempo se acalmou. O analista da esquerda K'i-hsiang disse a Tse-k'i: "Como choveu durante dez dias, armas e couraças foram recolhidas e empilhadas. Posso apostar que os homens do Wou vão aproveitar para nos atacar. Preparemo-nos para recebê-los.

Eles ordenaram que as tropas formassem fileiras. Mal elas terminaram de se alinhar e os soldados do Wou se apresentaram. Quando viram que os outros estavam à espera deles, bateram em retirada. O analista da esquerda declarou:

– Os soldados do Wou acabaram de percorrer 60 léguas de ida e volta. A guarda de elite deve estar descansando e a infantaria, se refazendo. Se fizermos uma marcha de trinta léguas para surpreendê-los, podemos derrotá-los".

Eles seguiram o conselho. O exército do Wou foi vencido.

趁火打劫
CHEN HUO DA JIE

QUINTO ESTRATAGEMA

Entregar-se à pilhagem graças ao incêndio

Quando o inimigo se debate nas piores dificuldades, não hesitar em aproveitar a situação para tirar vantagem dela, à imagem "do duro que acaba com o mole".

Comentário:

Quando a desgraça atinge o inimigo de dentro, é preciso devastar seu território; de fora, apoderar-se de seus habitantes; de dentro como de fora, apoderar-se de seus Estados.

O princípio do estratagema – que mal se trata de um – tem origem numa máxima do *Sun-tzu* que recomenda o recurso a procedimentos que fogem da regra comum e consistem em aproveitar a mínima oportunidade para levar vantagem.

A fórmula divinatória é tirada do comentário do julgamento do hexagrama 43, *Kiue*, "a Brecha" – em que o Lago (*Touei*) aparece acima do Céu (*K'ien*) –, que pode ser interpretado como uma imagem da inundação, da água que sobe até o céu, dos diques rompidos – daí o nome: "a Brecha". O autor dos *36 estratagemas* fornece apenas uma citação truncada do texto divinatório. A fórmula completa é: "O hexagrama 'a Brecha' é uma abertura: o duro faz uma abertura no mole. Firme, ele traz alegria; incisivo, contudo, ele faz reinar a concórdia". O hexagrama joga com uma dupla representação: de um lado, a do transbordamento das águas que rompe os diques, imagem sugerida pela disposição dos trigramas quando se dá a eles a acepção de "Lago" e "Céu"; de outro, a do grande homem (o Céu) que dispensa suas graças a partir das alturas a que se elevou, se tomarmos *Touei* no sentido de "Mercês". As duas interpretações, longe de serem incompatíveis, são complementares. No sistema ético chinês, no qual é o resultado que confere a verdadeira sanção moral de qualquer ação, o grande homem pode se aproveitar da aflição do adversário, já que ela fornece a ocasião de levar vantagem, e, graças ao que pode parecer um *forfait* aos olhos do homem mesquinho, dispensar suas mercês *tsö* a toda a Terra sob o Céu. Eis por que o grande homem não se tolhe por escrúpulos vãos para realizar seus projetos, e é essa ausência total de escrúpulos que o qualifica precisamente como Grande Homem, a partir do momento em que triunfa, é claro. Mas, se triunfa, é porque goza do apoio do Céu, portanto sua ação é moralmente justificada. Assim, nunca devemos nos recusar a aproveitar a ocasião dada pelo Céu. O homem de Estado digno desse nome detém o Mandato porque não se furta à missão e, ao responder ao chamado do destino, sabe julgar com audácia e decisão: *kiue*, "brecha", "abertura", também significa "julgar", "decidir".

É desse espírito de decisão que o rei de Yue, Keou-kien, soube dar mostra diante de seu adversário Fou-tch'ai, não hesitando em aproveitar as dificuldades em que se debatia o inimigo para atacá-lo e derrotá-lo. Como grande homem de Estado, ele sabia que a sabedoria política aconselha a mais impiedosa crueldade. Mas eis como o *Liu-che Tch'ouen-ts'ieou*, enciclopédia filosófica redigida por volta de 240 a.C., sob o patrocínio de Liu Pou-wei, primeiro-ministro do rei de Ts'in, relata os acontecimentos:

"O reino de Yue vive uma colheita catastrófica. O rei Keou-kien apavora-se e não sabe como enfrentar a situação. O conselheiro Fan Li o tranqüiliza:

– Por que está se amofinando? Peça ao seu vizinho, o rei de Wou, que lhe envie grãos. Tolo como é, ele não saberá recusar.

Então, o Yue dirige-se ao Wou. O ministro do rei do Wou instiga-o a aproveitar a aflição do vizinho para atacá-lo e aniquilá-lo. O rei de Wou, apesar de muito belicoso, reluta. Ele ainda não se livrou de todos os preconceitos da moral:

– Não se ataca um inimigo de joelhos. Tivesse eu de renunciar a conquistar dez reinos de Yue, jamais me afastaria do caminho traçado pela justiça e pela caridade.

Levou a pior. Alguns anos mais tarde, seu reino passou por uma fome terrível. Voltou-se para o Yue, ao qual prestara um favor há pouco.

Mas este, longe de lhe fornecer os grãos, atacou-o, destruiu seu reino e fê-lo prisioneiro.

Não contente em aproveitar a sorte inesperada trazida pela fome, o rei de Yue soube não ceder às sereias da caridade e submeter-se às sábias opiniões de seus conselheiros. Após a submissão do inimigo, como este pedia clemência, o rei de Yue estava disposto a concedê-la, mas seus conselheiros Fan Li e o alto oficial Tchong o dissuadiram:

– Não faça isso. Outrora o Céu concedeu o Yue ao Wou, mas este não soube aproveitar a sorte inesperada. Então o Céu, enfurecido, voltou-se contra Fou-tch'ai e jurou sua perdição oferecendo o Wou ao senhor. Deve aceitar respeitosamente essa dádiva e recusar-lhe clemência.

O grande intendente Hsi, ministro do rei de Wou, enviou uma carta a Tchong, na qual o prevenia:

– Quando não há mais lebres, cozem-se os cães; quando o inimigo é destruído, matam-se os ministros precavidos. Por que não poupar a vida do rei de Wou a fim de que ele seja um flagelo para o Yue?

Depois de ter lido a missiva, Tchong soltou um suspiro profundo e declarou:

– Infelizmente, é necessário eliminar o rei do Wou, pois os destinos do Yue e do Wou estão demasiado ligados um ao outro!

Han Fei, que relata o episódio, tira a moral daí por meio de um curto diálogo entre outro soberano do Wou, pai de Fou-tch'ai, e seu ministro:

'Ho-lou, rei de Wou, lançou uma expedição contra Ying. Havia acabado de obter três vitórias, quando perguntou a Tse-hsiu:

– Devo prosseguir?

Tse-hsiu replicou:

– Quando queremos afogar alguém, não nos contentamos em fazê-lo beber três vezes um copo; enfiamos a cabeça dele na água até que morra! Aproveite para acabar com ele!'."

声东击西

SHENG DONG JI XI

SEXTO ESTRATAGEMA

Fazer barulho a leste para atacar a oeste

Quando se tem de lidar com um inimigo, cujo espírito trapalhão e impulsivo o torna incapaz de prever, à imagem da "Terra" sob o "Lago", é vantajoso aproveitar sua falta de sangue-frio, para tomar ascendência sobre ele.

Comentário:

Por ocasião da revolta dos Sete Reinos, sob a dinastia dos Han ocidentais, o general-em-chefe, Tcheou Ya-fou, abrigou-se atrás de seus muros, abstendo-se de iniciar o combate. O exército do Wou lançou suas tropas ao assalto do canto sudeste da fortaleza. Tcheou, sem se deixar perturbar, enviou seus homens em massa em defesa do muro noroeste. E, de fato, pouco depois as tropas de elite do Wou atacaram o ângulo noroeste e foram rechaçadas. Nesse caso, não tendo o adversário um caráter impulsivo, ele soube se manter dono da situação. No final da dinastia dos Han seguintes, Tchou Kiun cercou os Turbantes Amarelos na praça de Yuan. Ele ergueu um montículo de terra, de onde tinha vista direta do interior da cidade. Mandou soar o ataque e lançou o assalto contra a porção sudoeste. Enquanto os Turbantes Amarelos se dirigiam em massa em defesa do ponto atacado, Kiun – à frente de um destacamento de cinco mil soldados de elite – desencadeou um ataque surpresa contra o canto oposto e penetrou no interior da cidade, sem encontrar resistência, já que a muralha estava totalmente desguarnecida nesse local. Nesse caso, o inimigo impulsivo e trapalhão mostrou-se incapaz de prever o que quer que fosse. Assim, o estratagema que consiste em "fazer barulho a leste para atacar a oeste" exige que nos certifiquemos de antemão da impulsividade do inimigo. Se ele tem temperamento trapalhão, podemos conquistar a vitória; do contrário, corremos ao encontro da derrota. Esse é um procedimento muito arriscado.

❖❖❖

A expressão "Fazer barulho a leste para atacar a oeste" aparece no *Houai-nan-tseu*, uma enciclopédia filosófica compilada no século II a.C., na seção dedicada à estratégia:

"Toda arte da guerra consiste em manifestar moleza para receber com firmeza; mostrar fraqueza para fazer valer a força; recuar para melhor atacar em contato com o inimigo. Você se dirige para o oeste? Finja estar indo para o leste [...]. Para onde você se dirige nunca é para onde você está indo. O que você revela não é o que você planeja, de modo que ninguém possa conhecer seus gestos e ações."

Mas, para dizer a verdade, a expressão é um decalque e a obra dos Han apenas desenvolve uma idéia que já aparece no primeiro arcano dos *Seis Arcanos*: "Você quer acabar com o flanco direito? Ataque a ala esquerda", que é ele próprio tributário do *Sun-tzu*:

"Capaz, passe por incapaz; pronto para o combate, não deixe que percebam; próximo, pareça longe e longe, pareça perto. Atraia o adversário com a promessa de uma vantagem; pegue-o na armadilha fingindo desordem; se ele se concentrar, defenda-se; se ele for forte, evite-o. Colérico, provoque-o; desdenhoso, excite sua arrogância. Disposto, canse-o; unido, semeie a discórdia. Ataque onde ele não espera; surja sempre de imprevisto."

A fórmula "espírito trapalhão e impulsivo" é uma citação livre do comentário por símbolos – também chamada *Pequena imagem* – da primeira linha do hexagrama 45, *Ts'ouei*, "Reunião". Por outro lado, a estrutura global do hexagrama, formado pelo Lago acima da Terra, evoca a rebentação da água que se espalha pelo solo e que convém canalizar antes de represar. O autor serve-se da fórmula particular da linha e da configuração geral da figura para expressar a idéia de que é preciso saber tirar proveito da impetuosidade atrapalhada das tropas adversas para canalizá-las e tomar a vantagem. Provavelmente, também é levada em conta, de maneira implícita, a disposição das linhas: duas linhas masculinas nas posições centrais da figura reúnem em torno delas linhas femininas, à imagem dos chefes que se impõem aos seus subalternos. É o que de resto exprime o comentário sobre o julgamento: "*Ts'ouei* designa a reunião... A linha dura está no centro e encontra uma resposta, por isso há reunião". Sendo assim, o estratagema se inspiraria no esquema hexagramático em que é sugerida, pela disposição das linhas, uma força confusa e violenta que, habilmente manipulada, pode ser vencida e dominada. É por isso que na literatura estratégica a palavra *ts'ouei* (reunião) pode ter o sentido de "desordem", "confusão".

Se o comentário adverte contra o emprego abusivo do estratagema, é porque tem a intenção de lembrar, com toda a razão, que este se baseia em dados psicológicos acima de tudo. Com isso, ele revela uma das dimensões essenciais da arte estratégica chinesa. Esta não é um puro jogo sobre uma matéria inerte, mas é também e, sobretudo, uma manipulação dos sentimentos. O grande homem de Estado não age em função de uma regra fixa, de um sistema rígido e imóvel ditado por leis matemáticas; ele altera sua ação levando em conta a psicologia do adversário. O estrategista põe a descoberta, graças aos gestos mais ínfimos, o caráter do outro e, dono de seus instintos, pode se apossar de seu destino. Ser um grande capitão não é nada, além disto: prever um golpe a mais que o outro, porque ele sabe exatamente, pela decifração de sua maneira de ser e de agir, o que o outro fará em determinada circunstância. Em *Os três reinos*, romance popular dos Ming – que, além de um romance de capa e espada, é um verdadeiro compêndio de todas as combinações estratégicas – Luz da Razão, o genial estrategista a serviço do mui confucionista Lieou Pei, leva em conta em seus cálculos os cálculos da parte adversa acerca de seus cálculos, de modo que seus planos de carga tripla ou quádrupla sempre pegam o outro desprevenido. Na maquiavélica combinação, que trama contra Ts'ao Ts'ao depois da derrota retumbante na falésia Vermelha, ele arma uma emboscada para o general adversário no momento da retirada, no ponto em que previra, porque, tendo desarmado suas motivações intelectuais, ele adivinhou, entre as diferentes eventualidades, a estrada que o outro escolheria.

Capítulo II

Estratagemas da guerra de resistência

无中生有
WU ZHONG SHENG YOU

SÉTIMO ESTRATAGEMA

Criar o ser a partir do nada

Uma mentira nunca é de fato uma mentira, pois toda mentira visa a criar uma realidade à maneira do jovem yin, que, tendo se tornado o velho yin, vira o velho yang.

Comentário:

A mentira nada mais é do que fazer o não-ser passar pelo ser. Mas uma mentira não pode durar muito tempo sem ser descoberta. O não-ser não poderia permanecer eternamente ele mesmo. É preciso que ele dê à luz o ser, assim se fará a realidade nascer da ilusão, o cheio surgir do vazio. O nada não pode vencer o inimigo; é preciso que secrete um mínimo de ser para levar a melhor. Tchang Hsiun, sitiado em Yong-kieou pelo general rebelde Ling-hou Tch'ao, confeccionou mais de mil bonecos de palha, vestiu-os com roupas pretas e mandou que os descessem pelas muralhas com o auxílio de cordas. O exército de Tch'ao disparou contra eles uma saraivada de flechas, tanto que os sitiados puderam recolher mais de cem mil delas. Na noite seguinte, Tchang repetiu a operação. Os sitiantes contentaram-se em rir, sem tomar nenhuma medida de precaução. Tchang enviou quinhentos homens decididos para semear a desolação no campo inimigo, queimar as tendas e perseguir os fujões por mais de dez léguas.

❖❖❖

O título do estratagema é uma reminiscência da célebre fórmula do versículo 40 do *Livro da via e da virtude*: "Todos os seres do universo saíram do Ser, o Ser saiu do não-ser", que se encontra, desenvolvido e explicitado, no versículo 42, se levarmos em conta o fato de que o Tao é a designação heurística do não-ser: "O Tao dá origem ao Um, o Um ao Dois, o Dois ao Três, o Três aos dez mil seres".

As linhas contínuas (yang) ou descontínuas (yin) representam as duas energias ou sopros masculino e feminino que, ao se combinar, dão origem a todo real manifesto. Yin e yang associam-se para formar os quatro símbolos (*sseu-hsiang*) emparelhados com as quatro estações e representados por um binômio de linhas inteiras e quebradas que constituem as modulações ou fases das energias: jovem yin (número oito; uma linha yang acima de uma linha yin), velho ou grande yin (número seis; duas linhas yin sobrepostas), jovem yang (número sete, uma linha yin acima de uma linha yang), velho ou grande yang (número nove; duas linhas contínuas sobrepostas).

O autor usa aqui a linguagem numerológica num sentido figurado. Ele tem a intenção de tornar tangível o processo que permite criar o ser a partir do nada: o yin valendo como pequena manigância, que se transforma em grande engodo (grande yin), que, por sua vez, por uma inversão nos extremos, vira seu oposto, um grande sucesso, portanto uma realidade tangível (grande yang). Ao contrário da filosofia grega, da qual somos tributários, a filosofia chinesa dá primazia ao não-ser sobre o ser. É o nada que, na qualidade de incondicionado, é munido do poder criador; assim o yin, aqui assimilado a uma ausência de ser, à vacuidade, é dotado de um poder soberano engenhoso. Mas isso, também, significa que o pensamento chinês, na mais pura veia platônica – ao menos a do *sofista* – emparelha a mentira com o não-ser. De modo que se cai nesse paradoxo de que basta proferir uma contra-verdade, pelo simples fato de se tratar de uma afirmação, para criar uma realidade, ou melhor, o conjunto de todos os seres. Como diz tão bem o *Tchuang-tseu* numa passagem cômica, mas assombrosa pela virtuosidade dialética:

"A partir do momento em que estabeleço o Um, já falei dele? Mas uma vez que eu disse: 'O Um é', ainda posso dizer que não falei dele? O Um não-designado e o Um que é designado formam dois elementos desdobrados. Esse Um que é sem ser designado e essa palavra que designa o Um (não ainda designado) formam (um conjunto de) dois elementos; esses dois últimos, acrescentados ao primeiro, formam, portanto, três unidades. E, a partir daí, nem mesmo o mais hábil calculador conseguirá chegar ao final da conta. O que dizer das pessoas comuns? Assim, quando se pensa que para ir do não-ser para o ser já se contou até três, que dizer então quando se vai do ser para o ser? O melhor é abster-se e deixar a natureza fazer números, suspendendo qualquer ação."

O desenvolvimento pode parecer obscuro. Entretanto, ele se esclarece quando o interpretamos à luz da teoria dos conjuntos, usada para construir a seqüência infinita dos números a partir do conjunto vazio. O procedimento de Tchuang-tseu tem em comum com o procedimento dos matemáticos o fato de que, inserindo uma ontologia numa cosmologia, ele tenta construir um universo a partir do nada, edificar um mundo sobre o vazio. Foi o que Wang Pi compreendeu já no século III d.C., quando glosou o capítulo 42 do *Lao-tsé* parafraseando Tchuang-tseu:

"Todos os seres, todas as formas se reabsorvem na unidade. E do que saiu o Um? Do não-ser. Tão logo haja o nada, há o um. Mas eu posso chamar esse Um de nada? Ora, tão logo tenha dito 'Um', eu pude dizê-lo sem falar? Assim, há o um e a palavra que o designa. O que tenho, então, senão dois objetos? Há o um, há o dois, necessariamente decorre daí o três. Conseqüentemente, os números já se esgotam na passagem do não-ser para o ser. De que adianta ir além? Isso não interessa mais ao curso do Tao."

Han Fei diz o mesmo à sua maneira, com anedotas que fornecem como que sua aplicação na esfera política:

"Tcheou Tsao perguntou a Kong T'ouo:

– Você não poderia dizer ao rei de Ts'i, de minha parte: 'Se o senhor me apoiar com seu crédito, eu o servirei junto ao príncipe de Wei?'

– Não é nada disso que se deve dizer – respondeu Kong T'ouo. – Isso significaria que você não tem nenhuma influência junto ao Wei. O rei de Ts'i não tem nenhum motivo para sustentar alguém que não goza de nenhum apoio no Wei e atrair para si o ressentimento da parte de Wei. Não, deve-se dizer: 'Diga-me quais são seus planos e farei com que o Wei se conforme a eles'. Ele o apoiará, achando que você é influente no Wei. E assim, tendo ganhado o Ts'i, você terá influência no Wei!"

Ou ainda este engodo:

"Chou Hsiang usou o seguinte procedimento para arruinar o crédito de Tch'ang Hong no Tcheou. Ele escreveu um bilhete no qual dizia: 'Bem recebida a mensagem em que agradece meus bons serviços e participa sua surpresa por não ter visto a chegada das tropas, embora seu pedido tenha sido transmitido no momento fixado de comum acordo com o príncipe e perfeitamente conveniente'."

Em seguida, ele largou o bilhete nos apartamentos reais e fugiu precipitadamente do Tcheou. O rei, persuadido de que Tch'ang Hong traíra o Tcheou, mandou que ele fosse preso e executado.

Este último exemplo lembra o procedimento usado por Max Eisenstein, herói judeu de *Desconhecido nesse endereço*, para se vingar de Martin Schulse, seu ex-amigo e sócio, que se tornou nazista depois que voltou para a Alemanha e foi responsável pela deportação de Griselle, sua ex-amante e irmã de Max. Bastou que o herói, dono de uma galeria de arte e exilado nos Estados Unidos, enviasse ao camarada e sócio cartas que listavam os nomes dos principais representantes da "arte degenerada", seguidos de números fantasiosos que podiam levar a crer que se tratava de uma linguagem críptica, para que ele fosse investigado, preso e deportado. Ao menos era o que se podia esperar. As únicas indicações fornecidas pelo autor são duas cartas de Munique que solicitam ao correspondente norte-americano que suspenda os envios intempestivos e, por fim, uma carta devolvida ao remetente com a menção "desconhecido nesse endereço", sugerindo que a armadilha dera certo. Mas, nesse romance surpreendente, o procedimento que consiste em "criar alguma coisa a partir do nada" não é simplesmente posto em prática pelo herói epistolar, mas sim pelo próprio livro. A intriga romanesca funciona sobre o vazio. Há, de fato, negação absoluta da escrita. Esta se resume essencialmente a uma seqüência de nomes próprios e de números. Ausência, em seguida, de referências factuais concretas: o desfecho é apenas sugerido por uma nota indireta, que vale como vazia. A carta, que não traz nada além de signos sem nenhum significado, é devolvida porque não há ninguém com esse nome – outro vazio – no endereço indicado. Mas é esse vazio que é justamente portador de sentido e constitui o motor da ação, do mesmo modo que a ausência de significado da mensagem epistolar leva os censores do Terceiro Reich a acreditar que as missivas contêm uma mensagem codificada, quando na verdade elas são totalmente ineptas. Narrando um estratagema que funciona com base na eficácia do vazio, *Desconhecido nesse endereço* é ele próprio um procedimento literário eficaz, que se baseia no vazio de qualquer conteúdo literário. Essa é a razão por que esse romance realiza o paradoxo de atingir a mais perfeita realização artística, sem ser ao mesmo tempo do domínio da arte.

O comentário dá uma interpretação ligeiramente diferente, embora interessante, do princípio no qual se baseia o estratagema número 7 – ao menos a julgar pelo exemplo fornecido. Para ser eficaz, toda mentira deve conter uma parte de verdade, ou antes, todo estratagema que se baseia na mentira implica uma dupla combinação: um ardil que é um chamariz e, portanto, não tem consistência em relação ao objetivo desejado – que é diferente daquele usado pela armadilha fictícia, embora efetiva, e cuja única função é servir de anteparo às pretensões reais – e o ardil real, objetivo de toda a operação, à qual dá corpo a vacuidade da primeira manigância. Assim, há de fato ardil de guerra para se apossar das flechas, e a armadilha dos bonecos é real em relação ao objetivo que se parece almejar, ainda que funcione com base num simulacro (os homens que descem pelas muralhas são imitações); mas, ao mesmo tempo, ela é apenas um meio e, portanto, pura invencionice em relação ao verdadeiro objetivo, que é fazer soldados reais descerem para fora dos muros, sem chamar a atenção do inimigo, e semear a desolação em suas fileiras. Para ser eficaz, toda mentira deve ser real e ao mesmo tempo ilusória. Ela é real como objetivo e ilusória como meio, na medida em que é um meio que se faz passar por um objetivo.

暗渡陈仓

AN DU CHENCANG

OITAVO ESTRATAGEMA

Desembocar de imprevisto em Tch'en-ts'ang

Distraímos o inimigo com gesticulações e aproveitamos seu assossego para nos tornar donos da situação, segundo a configuração do "Aumento", que exige que se aja com suavidade.

Comentário:

Os estratagemas extraordinários nascem de procedimentos regulares. Sem movimentos regulares não há estratégias extraordinárias. Se o fundador dos Han não tivesse recuperado ostensivamente as estradas suspensas, ele não teria podido desembocar de imprevisto em Tch'en-ts'ang. Na época dos Três Reinos, Teng Ngai, do Wei, tomou posição na margem norte do rio Branco. O general do Chou, Kiang Wei, mandou Leao Houa instalar seus quartéis na margem sul. Teng Ngai surpreendeu-se e disse a seus oficiais: "Wei está se retirando às pressas. Ora, nós dispomos apenas de poucos contingentes; normalmente, segundo as regras da arte, ele deveria atravessar o rio a pé seco, sem perder tempo construindo uma ponte. Se ele enviou Houa, foi com a intenção de nos reter aqui e nos impedir de voltar para trás. Posso apostar que ele planeja atacar a praça de T'ao-tch'eng pelo leste". Teng Ngai enviou o exército para que alcançasse ainda à noite, por um atalho, a cidade de T'ao-tch'eng, sob grande sigilo. Chegou ao local no momento exato em que as tropas adversas se preparavam para atravessar o rio. Como Teng Ngai chegou primeiro e ocupou a cidade, Kiang Wei teve de renunciar ao seu projeto. Nessa circunstância, Kiang Wei recorreu inabilmente ao estratagema que consiste em "surgir de imprevisto em Tch'en-ts'ang", ao passo que Teng Ngai compreendeu que seu adversário tentava "fazer barulho a leste para atacar a oeste".

A expressão proverbial quadrissílaba é inspirada num fato histórico relatado pelo historiador dos Han, Sse-ma Ts'ien. Quando Hsiang Yu, homem forte do momento, após a queda da dinastia dos Ts'in, confinou seu principal rival, Lieou Pang, na província excêntrica do Chou-Han, em Sichuan, um de seus oficiais, Han Hsin, instiga-o a se apossar da região estratégica do Ts'in, berço da dinastia anterior, atacando de imprevisto o general encarregado da guarda da região. Bastava, para isso, fingir que estava recuperando as passarelas da estrada suspensa, que ele havia incendiado anteriormente, a fim de mostrar sua resolução de abandonar qualquer veleidade de retorno à região central e desembocar por outra estrada em Tch'en-tsang, uma praça estratégica.

A fórmula divinatória é uma citação do comentário do julgamento do hexagrama 42, *Yi*, "Aumento", que é formado pelo trigrama do Vento (símbolo da suavidade) acima do trigrama Trovão (símbolo do movimento). Portanto, a figura é o emblema de uma ação que é executada com tato e traz proveito.

Do mesmo modo que o Tao se divide para se manifestar através de duas entidades ou sopros – o yin e o yang, cuja combinação produz todos os seres da criação –, o general, recorrendo aos dois procedimentos ordinários (*tcheng*) e extraordinários (*ts'i*), poderá enfrentar todas as situações e conquistar a vitória, sejam quais forem as circunstâncias.

O uso alternado dos meios regulares e insólitos permite que se esteja sempre em estado de vazio. Evoluindo na pura virtualidade, eu forço o outro a se manifestar no universo dos objetos constituídos, dada a incapacidade em que está de me apreender. De modo que, se para ele eu não existo nunca, para mim ele está sempre visível, ou melhor, minha invisibilidade comanda seus movimentos: ela encurrala o outro na esfera do sensível, faz com que surja no universo das formas, dá a ele materialidade e consistência. Isso significa que os procedimentos regular (*tcheng*) e extraordinário (*ts'i*) só podem existir na medida em que se referem aos meios regulares e irregulares do inimigo. Normalidade e anormalidade, habitual e inabitual nunca são estáticos, imóveis; ao contrário, definem-se na relação dinâmica com o que o outro pensa de mim – ou melhor, do que eu o incito a pensar das minhas modalidades operatórias. Por exemplo, quando Han Hsin manda recuperar as passarelas de madeira que levam do Sse-tch'ouan à região de Tch'ang-ngan – quando na verdade conta seguir outro caminho que passa por Tch'en-ts'ang para pegar o inimigo pela retaguarda –, ele quer convencê-lo de que o ataque pelos caminhos suspensos é o movimento previsível, a via "normal". Só pode haver procedimentos extraordinários aí, uma vez definida a preliminar virtual de um procedimento dado fictício como habitual. A hipótese nunca atualizada da ação normal é o vazio em torno do qual se criam os procedimentos insólitos. É apenas em função dessa expectativa do inimigo, forjada de ponta a ponta, que a marcha em direção a Tch'en-ts'ang se torna um procedimento extraordinário. Quando o ataque de frente é a norma, um ataque pelos flancos torna-se insólito; quando o ataque pelos flancos é a norma, o ataque frontal torna-se insólito. Portanto, insólito e habitual dependem do que se espera do outro, e é em função de suas expectativas e de seus planos que convém se decidir, e surpreendê-lo quando ele baixar a guarda. Trata-se sempre de prever um golpe à frente, adivinhar o que ele adivinha de nossos próprios planos, a fim de voltar contra ele suas próprias suputações. A dialética do regular e do irregular nos põe diante de uma das infinitas modalidades do paradoxo do mentiroso. É por isso, aliás, que ela redunda numa aporia, na medida em que é jogo sobre o não-ser.

No capítulo dedicado ao uso desses dois meios regulares e irregulares, *A arte da guerra* de Sun Pin, que se inscreve na mesma linhagem de seu ancestral, mostra de maneira mais clara que se trata, de fato, de opor duas modalidades que se situam nos dois planos antitéticos do ser e do não-ser, de modo que a guerra pode ser assimilada a uma técnica de manipulação das formas:

"Podemos considerar todo combate como uma dominação recíproca das formas. É possível triunfar sobre toda formação, mas ninguém pode conhecer a formação por meio da qual é possível triunfar a cada vez [...]. Pois toda formação triunfa tendo poder sobre o que pode ser dominado. Portanto, é impossível vencer o conjunto das formações e das situações com uma forma determinada. Se o princípio que permite dominar as formas é um, as próprias formas que permitem obter a vitória são múltiplas [...]. Responder a uma forma por uma forma apropriada é a força normal, ao passo que chamamos de força extraordinária dominar o que tem forma pelo sem forma."

O arcabouço conceitual profundo dos antigos manuais de estratégia baseia-se assim na equivalência entre formação militar e forma visível das coisas, identidade que trai seu homônimo – ambas são designadas pela palavra *hsing*. Ora, como no sistema das representações chinesas o sem forma está na origem do que tem forma, ele pode dominá-lo e controlá-lo, uma vez que a mesma palavra *tche* significa, aliás, "criar", "modelar", "dominar" e "vencer". Para não dar o flanco a um inimigo, a forma suprema de uma formação consistirá em não apresentar nenhuma forma diante dele, como a água, que corresponde às formas sem nunca esgotar sua capacidade de transformação. Todas as expressões utilizadas pelos tratados de arte militar, ao mesmo tempo em que caracterizam as disposições concretas das tropas, lembram as evocações taoístas do "homem realizado", que soube aderir ao princípio vazio e incondicionado que está na base de toda criação.

隔岸观火
GE AN GUAN HUO

NONO ESTRATAGEMA

Contemplar da margem oposta o incêndio

Quando um antagonismo manifesto tem todas as chances de degenerar em caos, basta espreitar à sombra o momento da discórdia, pois o desencadear da brutalidade e do furor sempre devora a si mesmo. Como diz a fórmula divinatória: "Entregar-se ao movimento produz entusiasmo e o entusiasmo, a entrega ao movimento".

Comentário:

Quando a discórdia aumenta, corremos o risco de sofrer prejuízo por nos encontrarmos nas redondezas, ao passo que basta nos mantermos à distância para que a desordem inflame espontaneamente o campo adverso. Assim, na época dos Três Reinos, Yuan Chang e Yuan Hsi, à frente de alguns milhares de cavaleiros, haviam encontrado refúgio no Leao-tong, cujo governador, Kong-souen K'ang, contando com a distância, se recusava a se juntar ao governo central. No momento da campanha contra as tribos Wou-wan, alguém sugeriu ao primeiro-ministro, Ts'ao Ts'ao, que aproveitasse para lançar uma expedição punitiva contra o governador recalcitrante e se apoderasse dos dois irmãos Yuan. Ts'ao Ts'ao respondeu: "Fiz de modo que o governador Kong-souen K'ang me enviasse suas cabeças. É inútil cansar meus homens". No nono mês, enquanto Ts'ao Ts'ao retornava da praça de Sinceiro, o governador do Leao-tong executou os dois irmãos e mandou entregar suas cabeças a Ts'ao Ts'ao. Aos generais surpreendidos, Ts'ao Ts'ao explicou: "O governador os temia. Atacados, porém, eles teriam unido forças sob a pressão das circunstâncias; deixados em paz, eles conspiraram naturalmente uns contra os outros. Não poderia ser de outro modo".

De acordo com outra explicação, trata-se, muito simplesmente, de uma aplicação do ataque pelo fogo que se discute nos manuais de estratégia. E, de fato, se na primeira parte da seção "Ataque pelo fogo" de *A arte da Guerra* se faz menção às diversas modalidades do ataque pelo fogo, na segunda são expostas as regras de prudência que devem ser observadas nas operações militares, o que está inteiramente de acordo com o conselho dado aqui para "observar da margem oposta o incêndio".

❖❖❖

A expressão proverbial é uma alusão a um dos mais célebres episódios do romance dos *Três reinos*. Graças a uma série de combinações audaciosas e argutas, Tcheou Yu conseguiu incendiar os juncos de combate de seu adversário, o temível Ts'ao Ts'ao – ajudado, é bem verdade, por seu aliado Luz da Razão. Do alto de um promontório situado na margem sul, este observa a batalha desenfreada entre os exércitos de Tcheou Yu e de Ts'ao Ts'ao, cujos navios são envolvidos pelas chamas.

Mas a fórmula deve ser tomada aqui no sentido figurado, porque a batalha da falésia Vermelha nunca é citada entre as aplicações do estratagema. De resto, o princípio estaria mais próximo de outra expressão proverbial, também tirada de um fato histórico: "Assistir confortavelmente do alto da montanha a um combate de tigres". O episódio é relatado da seguinte maneira pelos *Estratagemas dos reinos combatentes*, florilégio dos discursos e dos ardis dos diplomatas e sofistas da época:

"Como o Tch'ou rompeu o tratado com o Ts'i, este formou um exército para atacá-lo. Tch'en Tchen aconselhou o príncipe de Tch'ou a oferecer terras ao Ts'i para garantir sua segurança a leste e a firmar um pacto de não-agressão com o Ts'in a fim de se preservar no flanco oeste. Diante da gravidade da situação, o rei de Tch'ou foi obrigado a reconhecer a exatidão das análises de seu conselheiro. Então enviou Tch'en Tchen como embaixador ao Ts'in para negociar a neutralidade deste. Levado até o rei de Ts'in, e feitas as saudações de praxe, o diplomata pergunta-lhe à queima-roupa: 'O senhor conhece a história de Kouan, o Robusto, e dos dois tigres?'

Diante da resposta negativa do soberano, ele prossegue:

– Dois tigres estavam disputando os despojos de um camponês que eles haviam levado à desgraça. Kouan, o Robusto, quis intervir, mas o empregado do albergue o deteve: 'Esses tigres', disse ele, 'são monstros aterrorizantes. Veja esse homem como uma isca. Espere que o menor seja morto para abater o vencedor, que com toda a certeza terá sido gravemente ferido por seu adversário. Assim, você matará dois coelhos com uma cajadada só, sem correr grandes riscos, de modo que, sem se expor, você conquistará a glória de ter vencido dois animais ferozes!'

E o diplomata conclui:

– Siga também o conselho do empregado do albergue. Ao final da guerra que travam o Ts'i e o Tch'ou, haverá necessariamente um vencedor e um vencido. Portanto, espere até que a sorte das armas tenha pendido a favor de um ou de outro para socorrer o mais fraco, assim conquistará a glória de ter salvado um Estado, combatendo sem perigo seu adversário."

Como diz o dito popular "os grandes se conhecem" – e isso, para além dos séculos e dos continentes. Nos *Discorsi*, ao refletir sobre esse episódio da história romana em que a intervenção dos veiianos[5] só levou à união de seus inimigos entre eles, Maquiavel tira daí as mesmas conclusões que Ts'ao Ts'ao sobre os perigos que existem em aproveitar as discórdias que reinam no campo alheio para atacar: "Os veiianos, se tivessem sido sábios, tanto mais teriam se afastado da guerra, porque viam que Roma estava desunida, e teriam se limitado às mil tramóias de uma guerra secreta. Isso consiste em se fazer confidente de uma cidade dividida; em se apresentar como mediador entre os dois partidos até que peguem em armas; e quando a espada for finalmente desembainhada, em prestar socorro convenientemente dosado ao partido mais fraco, tanto no intuito de prolongar a guerra e deixar que se consumam uns aos outros quanto para se abster de revelar, por um socorro demasiado maciço, a intenção de oprimir e dominar a ambos, da mesma forma. Quem segue cuidadosamente essa marcha, quase sempre alcança seu objetivo."

A fórmula hexagramática: " Entregar-se ao movimento produz entusiasmo e o entusiasmo, a entrega ao movimento" é tirada do comentário do julgamento do hexagrama 16, *Yu*, que é formado pelo Trovão acima da Terra, simbolizando os abalos e as comoções violentas: movimentos de multidão e explosões de entusiasmo que conduzem às aventuras militares e dos quais é preciso saber se afastar e esperar que se aplaquem por si sós. Todavia, poderíamos entender a máxima de outra maneira e

[5] Nativos de Veii ou Veios, antiga cidade etrusca da Itália, situada às margens do Cremero. [N. T.]

traduzi-la por: "Agir com oportunismo é previdência; previdência é agir com oportunismo", porque se *Yu* significa "entusiasmo" ou "alegria", ele também tem o sentido de "previdência". Assim, foi inspirando-se na composição do hexagrama que os sábios soberanos instauraram os portões de batente duplo e os vigias noturnos que marcam as horas batendo seus bastões a fim de se proteger contra os ladrões – daí o nome *yu* que se dá ao hexagrama ("prever", "premunir-se") remeter ao *Grande comentário*. De fato, a figura é composta pelo Trovão (o movimento) acima da Terra, o que evoca a idéia do barulho da matraca em movimento acima da terra. O autor então interpretaria o simbolismo e a glosa do julgamento divinatório como uma incitação à contemporização. Basta esperar na sombra, prevendo mudanças de situações.

笑里藏刀
XIAO LI CANG DAO

DÉCIMO ESTRATAGEMA

Esconder uma faca por trás de um sorriso

Ganha-se a confiança do inimigo a fim de tranqüilizá-lo, enquanto em segredo se conspira seu fim. Age-se apenas quando todos os preparativos estiverem terminados, com medo de que ele mude as disposições: "A dureza esconde-se sob a suavidade".

Comentário:

A arte da guerra diz: "O inimigo mostra-se humilde e fortalece seu dispositivo: ele se prepara para a ofensiva [...]. O inimigo pede a paz sem conversações prévias: ele conspira". As palavras bonitas e as maneiras amáveis do adversário são os sinais externos de suas manigâncias fatais. Sob a dinastia dos Song, o general Ts'ao Wei foi encarregado de administrar a comendadoria de Wei-tcheou. Ele era temido pelos Hsi-hsia pela clareza e pelo rigor de seus decretos. Um dia, quando convidou seus oficiais para um banquete, uma sentinela a cavalo veio informá-lo de que milhares de seus homens haviam passado para o inimigo e galopavam na direção do território Hsi-hsia. Diante da novidade, todos os oficiais se entreolharam, lívidos. O prefeito continuou a tagarelar e a brincar como se nada tivesse acontecido, depois disse ao estafeta, enfatizando cada palavra: "Fui eu que dei a ordem. Mas não espalhe isso aos quatro ventos". Essas palavras chegaram aos ouvidos dos Hsi-hsia, que concluíram que aqueles homens tinham vindo atacá-los e exterminaram todos eles. Essa é uma utilização de emergência do estratagema, que se deve a circunstâncias imprevistas. Já Keou-kien, colocando-se a serviço de seu vencedor, Fou-tch'ai, executou um plano a longo termo que visava a adormecer sua desconfiança.

A expressão proverbial seria tirada de um poema de Pai Kiu-yi, da dinastia dos T'ang, e descreveria um funcionário público de grande ferocidade, apesar de seu aspecto afável, que "esconde um punhal por trás de seu sorriso e com ele assassina os homens".

A fórmula divinatória é uma citação do comentário do julgamento do hexagrama 58, *Touei*, "Lago" ou "Amenidade", que é formado pela repetição do trigrama do mesmo nome – ele próprio formado de uma linha feminina acima de duas linhas masculinas. As linhas masculinas, firmes, estão no centro dos trigramas inferior e superior, respectivamente, na segunda e na quinta posição, enquanto as linhas femininas, moles, ocupam a parte superior de cada um dos dois trigramas, na terceira e na sexta posição, ou seja, no canto externo das figuras, daí a expressão: "Firme por dentro, maleável por fora". Por outro lado, como o Lago tem como atributo a alegria, o diagrama simboliza o efeito produzido no outro por aquele que sabe ser firme por dentro, mas afável por fora, e evita bater de frente com seu semelhante.

Se pensarmos que *Touei* também significa a "boca" – portanto a "palavra" –, a locução hexagramática, assim como a estrutura da figura, não deixa de lembrar a alegre recomendação de Graciano em *O homem de corte*: "Encher a boca de açúcar para confeitar as palavras, pois os próprios inimigos tomam gosto nisso".

Uma das ilustrações mais bonitas do estratagema é fornecida mais uma vez por Han Fei, em suas *Charadas interiores II*:

"O rei do Wei ofereceu ao rei de Tch'ou uma moça encantadora, por quem este não deixou de se apaixonar. Conhecendo seus sentimentos, a senhora Tcheng, sua esposa, manifestou por ela a amizade mais viva, indo além do rei. Presenteou-a com suas roupas mais bonitas e com suas jóias mais preciosas, deixando que ela escolhesse aquelas que mais lhe agradavam. E o rei, encantado, dizia: 'Ah, sabendo quanto amor sinto pela nova concubina, minha mulher quer amá-la ainda mais do que eu a amo! Não é admirável? É a atitude de um filho piedoso que serve a seus pais, de um ministro leal que se devota a seu senhor!'

Uma vez segura de que jamais seria suspeita de ciúme por seu senhor e mestre, a senhora Tcheng disse perfidamente à sua rival:

– O rei adora você, mas seu nariz o desagrada. Quando se apresentar diante dele, coloque a mão na frente para escondê-lo. Esse gesto a ligará para sempre ao rei.

A paspalhona apressou-se em seguir o conselho da esposa. Sempre que estava na presença do soberano, ela colocava a mão na frente do nariz.

Intrigado, o rei abriu-se com sua mulher:

– Por que afinal a nova esposa cobre o nariz com a mão sempre que me vê?

– Eu não saberia dizer.

Pressionada pelo marido, a espertalhona acabou confessando:

– Ela diz que seu cheiro a incomoda.

O rei se zangou:

– Então que lhe cortem o nariz!

Como Tcheng dos mil truques, receando que o soberano voltasse atrás, havia admoestado previamente os soldados a que executassem sem demora qualquer ordem do mestre, estes se apressaram em desembainhar as espadas e cortar o nariz da favorita."

李代桃僵
LI DAI TAO JIANG

DÉCIMO PRIMEIRO ESTRATAGEMA

Deixar a ameixeira secar no lugar do pessegueiro

Se a situação é tal que deve necessariamente haver uma perda, o melhor é sacrificar o menos precioso – o yin – em benefício do mais precioso – o yang.

Comentário:

No confronto com o inimigo, cada um tem pontos fortes e pontos fracos. Sendo assim, é muito raro que se possa obter uma vitória completa ao final de um enfrentamento. Mas se em princípio a vitória se baseia na diferença entre a média ponderada dos pontos fracos e dos pontos fortes de cada uma das partes, existe, contudo, uma arte secreta que permite fazer com que o ponto fraco possa levar a melhor sobre o ponto forte, no momento do confronto, entre os pontos fortes e os pontos fracos, das duas forças em questão. É assim que opomos nossa pior parelha de animais à melhor, nossa melhor à média e nossa média à pior do adversário. Esse é o princípio que rege os planos de um verdadeiro estrategista e que não pode ser deduzido do senso comum.

A expressão "deixar a ameixeira secar no lugar do pessegueiro" é tirada de uma balada cantada (*Yue-fou*) da época Han, chamada *Canto do galo*, na qual o poeta lamenta a falta de solidariedade entre os irmãos de uma rica família de funcionários públicos – um deles foi condenado por um erro qualquer, sem que os outros se comovessem – e contrapõe a essa indiferença o sacrifício da ameixeira, que oferece suas raízes aos insetos para que as roam no lugar das do pessegueiro, que cresce ao seu lado, à beira de um poço.

A fórmula oracular é tirada do comentário do julgamento do hexagrama 41, *Souen*, "Diminuição", que é composto pelo trigrama da Montanha acima do Lago. O simbolismo é do superior (a Montanha, trigrama masculino, é assimilada aos dirigentes e aos nobres) que reina acima da massa do povo (*Touei*, a Lagoa, trigrama feminino, é o emblema dos plebeus em razão de sua posição inferior) e cresce à custa de seus subordinados. De fato, o trigrama inferior é composto por duas linhas yang dominadas por um traço yin, enquanto o trigrama superior é composto por duas linhas yin dominadas por um traço yang, o que expressa uma diminuição da força do primeiro e um aumento da força do segundo. A composição da figura sugere um sacrifício da parte dos inferiores, em benefício dos superiores. Mas esse sacrifício é benéfico na medida em que é livremente consentido e resulta da pressão das circunstâncias. Daí, ainda, a fórmula: "Isso obedece à lei da circulação dos bens debaixo para cima".

Enquanto o autor interpreta a expressão proverbial como um expediente, que, numa situação desesperada, permite salvar o essencial em troca da perda do acessório, o comentador, alçando-a à dignidade de estratégia máxima, dá a ela o valor de um gambito[6]. Assim, no exemplo que empresta da biografia de Sun Pin, registrado nas *Memórias históricas* de Sse-ma Ts'ien, é o sacrifício deliberado da parelha mais lenta, fadada a uma derrota certa, que permite a vitória das duas outras mais rápidas. Poderíamos dizer que o procedimento foi reutilizado por Sun Pin em sua verdadeira grandeza na batalha de Kouei-ling, quando deliberadamente enviou à morte seus dois generais mais medíocres, os comandantes das praças de Kao-t'ang e de Ts'i-tch'eng, a fim de colocar o grosso de suas tropas de elite em posição de superioridade estratégica.

Os comentadores modernos, por outro lado, citam um grande número de exemplos de sacrifícios de servidores devotados que permitiram que um príncipe ou um general salvasse a própria pele numa situação desesperada. Curiosamente, nenhum deles menciona o mais característico. Este é relatado por Sse-ma Ts'ien nos anais do reinado de Hsiang Yu, o grande rival do fundador dos Han e do qual por pouco ele não triunfou, como mostra claramente o episódio:

"Quando Lieou Pang se viu em péssima posição, bloqueado por Hsiang Yu no campo fortificado de Yong-yang, sem o fornecimento de provisões

[6] No xadrez, abertura que consiste em sacrificar um peão para garantir uma vantagem de ataque ou posição. [N. T.]

e dispondo de poucas tropas, o general Ki, o Sincero, para salvar o mestre pelo sacrifício de sua própria pessoa, imaginou o seguinte estratagema. Paramentado com vestes reais e conduzindo a carruagem do soberano, tentou uma saída noturna pelo portão oriental da cidade, à frente de um grupo de duas mil mulheres protegidas por couraças, enquanto o verdadeiro rei aproveitava a distração para fugir pelo portão oeste e ganhar a praça de Tch'eng-kao, com um grupo de fiéis partidários.

O estratagema foi bem-sucedido. Graças à comoção suscitada nas tropas do Tch'ou, pela rendição do falso rei, o verdadeiro soberano conseguiu escapar da ratoeira. Descobrindo a trapaça e furioso por ter sido ludibriado, Hsiang Yu mandou queimar vivo Ki, o Sincero."

順手牽羊
SHUN SHOU QIAN YANG

DÉCIMO SEGUNDO ESTRATAGEMA

De passagem apoderar-se de uma ovelha

É preciso saber insinuar-se na mínima brecha e aproveitar a menor vantagem: "A um pequeno yin – ocasião – corresponde um pequeno yang – proveito".

Comentário:

Quando um grande exército se põe em movimento, oferece inúmeras falhas, de modo que é fácil insinuar-se, nos interstícios do dispositivo, para tirar proveito dele, sem precisar travar combate. Eis aí uma tática que pode ser adotada tanto em caso de vitória quanto de derrota.

❖❖❖

A expressão imagética "de passagem apoderar-se de uma ovelha", que poderíamos traduzir por "a ocasião faz o ladrão", ou, melhor ainda, "fazer flecha de qualquer pau", aparece em inúmeras fontes literárias em língua vernacular, dramas e romances, nas quais tem o sentido de "agarrar a oportunidade com unhas e dentes" ou reverter a situação a seu favor.

O autor não oferece nenhuma configuração hexagramática para dar conta do estratagema. Contenta-se em formalizá-lo na linguagem combinatória yin e yang sobre o qual se constrói o sistema complexo das mutações, dando à rubrica yin o valor negativo do erro, da falha no dispositivo de defesa adverso que oferece uma ocasião, e ao yang o valor positivo do proveito, do sucesso tangível que nasce da exploração judiciosa da ocasião, do mesmo modo que num hexagrama a mutação de uma linha contínua em linha descontínua é uma perda, e de uma linha quebrada em linha inteira permanece como um ganho.

A estratégia supõe o investimento do tempo pelo espaço. A tática movese no instante. Em razão do seu não-lugar, ela é tributária do tempo; é preciso que espreite o momento propício para agarrar em pleno vôo as possibilidades de proveito. Ela joga com os acontecimentos para transformá-los em "ocasiões". A estratégia postula um lugar suscetível de ser circunscrito como um "próprio". Já a tática, desprovida de um lugar que não seja o do outro, tenta aproveitar-se desse lugar e servir-se da força estrangeira. Sun Tzu fala de "construir sua vitória sobre os movimentos do inimigo", o que é uma maneira de reconhecer que nos baseamos no outro para conquistar o espaço a partir de uma prática inteligente do tempo. É preciso utilizar as falhas que as conjunturas particulares abrem na área circunscrita pela estratégia. Manobra que o estrategista enuncia do seguinte modo, em sua linguagem imagética: "Você se apresenta primeiro como uma virgem tímida. O inimigo deixa a abertura se escancarar. Então, rápido, como a lebre, você se precipita pela abertura sem dar tempo a ele de fechá-la." Essas são as mesmas qualidades de oportunismo e de utilização dos movimentos do adversário, empregadas pela retórica chinesa, que, por sua vez, repousa nos mesmos princípios da arte da guerra. A exemplo do militar, o sofista pratica o arrombar. Como diz de maneira muito enfática um tratado de retórica – o *Kouei-kou-tseu*, o *Livro do mestre Vale dos Demônios* –, posto sob o patrocínio do professor de retórica dos dois mais célebres diplomatas e homens de Estado do final do século IV a.C., Tchang Yi e Sou Ts'in: "O essencial é abrir a brecha e, uma vez que adivinhamos os desejos daquele que queremos cercar, jogamos a linha com a isca certa e, fazendo cintilar diante dele o objeto de suas esperanças secretas, nós o temos à nossa mercê...".

A volumosa literatura estratégica à qual deu origem o fino opúsculo dos *36 estratagemas* fornece uma pletora de exemplos de chefes de guerra ou de simples particulares que souberam tirar partido de uma vantagem que lhes foi dada de bandeja. Mas é preciso dizer que o procedimento tem seus perigos, porque um proveito fácil demais pode esconder uma armadilha. Em segundo lugar, um acúmulo de pequenos ganhos não fará jamais uma grande vitória, como Clausewitz[7] lembra com arrogância:

"É evidente, contudo, que o que a surpresa ganha em facilidade ela perde em eficácia e vice-versa. Acreditar que essas surpresas, em pequena escala, conduzem a grandes proezas, como, por exemplo, uma batalha vitoriosa ou a tomada de um material importante, é acreditar, sem dúvida, em algo inteiramente concebível, mas que a história não confirma, pois os

[7] Carl von Clausewitz (1780-1831), general e teórico militar prussiano. Seu tratado *A guerra*, escrito a partir de sua experiência nas campanhas contra Napoleão, influenciou a doutrina do Estado-Maior alemão e a concepção marxista da guerra. [N. T.]

exemplos em que esses efeitos de surpresa engendraram altos feitos são extremamente raros."

No entanto, Clausewitz é tão sério que nunca se consegue levá-lo totalmente a sério. O perigo da máxima é o que me parece mais bem destacado no tal conto de Boccaccio em que se vê como pode ser perigoso – ao menos para um abade – "de passagem pegar uma ovelha":

"O abade de um mosteiro, enquanto passa pelo corredor do dormitório, surpreende o ruído dos embates de um fradeco que estava de folgança em sua cela com uma linda camponesa trazida dos prados. O jovem frade, que tem ouvido fino, compreende pelo roçar de um hábito no chão que foi descoberto; certifica-se olhando por uma fenda, e vê o abade à escuta. Para evitar o castigo que já espera, imagina um estratagema. Sai da cela e devolve a chave ao superior com o pretexto de que deve se ocupar da corvéia da lenha, já prevendo – do que sabe da natureza humana – o que acontecerá. E, de fato, levado pela curiosidade, o abade vai à cela do noviço, abre a porta, descobre a moça, acha-a bonita, sente desejo por ela e, dizendo com seus botões que 'é prudente agarrar o bem que Deus dá', sobe na cama, estende-a sobre si mesmo – temendo sufocá-la com seu peso – e diverte-se com ela nessa posição. Tudo isso debaixo do olhar do jovem frade, que se escondeu no dormitório e observou tudo através da fenda. Quando o superior, satisfeito seu desejo, intercepta o jovem frade, que ele acredita estar voltando do bosque, e o admoesta, ameaçando-o de prisão, este responde à altura: 'Monsenhor, ainda sou muito novo na ordem de São Bento para ter aprendido todos os detalhes da regra. O senhor ainda não havia me ensinado que os monges devem ser esmagados pelo peso das mulheres como o são por jejuns e vigílias. Agora que me instruiu, comprometo-me – se por esta vez o senhor quiser me perdoar – a nunca mais cair nesse erro. Farei sempre o que vi o senhor fazer'.

O abade compreende que tem tudo a ganhar entendendo-se com o fradeco."

É verdade que, vistas as circunstâncias em que a historieta se desenrola, as manobras que descreve e, sobretudo, a importância que o compilador dos *36 estratagemas* dá à correlação entre os estratagemas e o *I Ching*, ela poderia servir igualmente bem de ilustração para o vigésimo estratagema, "Pescar em águas turbas", cujo comentário do julgamento do hexagrama a que se associa afirma: "Seguir: o duro apresenta-se e coloca-se abaixo do mole; com esse movimento, ele proporciona prazer e carrega o outro com ele".

Todavia, uma vez que a combinação vale essencialmente para manobras concertadas, que visam à posse duradoura de um império ou de uma posição dominante, o subterfúgio do fradeco parece-nos pertinente, para ilustrar um ganho ocasional e passageiro.

Capítulo III
Estratagemas da guerra ofensiva

打草惊蛇
DA CAO JING SHE

DÉCIMO TERCEIRO ESTRATAGEMA

Bater o mato para desentocar a cobra

Nós nos informamos quando temos suspeitas; não agimos senão depois de minuciosa inspeção: "O exame repetido" é alcoviteiro do oculto.

Comentário:

Quando o inimigo não revela suas forças e dissimula suas intenções, devemos localizar nossas tropas de choque antes de avançar. Como diz *A arte da guerra*: "Se um exército deve atravessar desfiladeiros, depressões úmidas cobertas de junco ou montanhas de bosques fechados e vegetação luxuriante, é necessário proceder a batidas meticulosas, pois esses são lugares propícios para emboscadas e os prediletos dos espiões".

❖❖❖

Próxima da expressão "apontar a amoreira para repreender a sófora[8]", que designa o estratagema 26 – e sinônima da deliciosa locução proverbial "matar o frango para meter medo no macaco" –, a fórmula quadrissílaba "bater o mato para desentocar a cobra" aparece na coletânea de anedotas diversas da época T'ang, o *Yeou-yang tsa-tsou*, de Touan Tch'eng-che, a propósito de um divertido episódio da carreira de um alto funcionário corrompido, Wang Lou. Como este se dedicava a malversações em grande escala, seus administrados, irritados, para informá-lo de sua exasperação, enviaram-lhe uma petição pela qual acusavam o contador de corrupto. O prefeito tomou a petição, perdeu a cor e escreveu estas palavras no verso: "Vocês só bateram o mato, mas aqui estou eu como uma cobra aterrorizada".

O estratagema é posto sob o signo do hexagrama 24, *Fou*, "Retorno", que é formado pelo Trovão abaixo da Terra e que, por comportar ape-

---

[8] Árvore ornamental de grande porte, originária do Extremo Oriente. [N. T.]

nas um traço cheio na posição inferior, marca o retorno do masculino – daí o nome. Reservado ao solstício de inverno, momento em que o trovão é prisioneiro no centro da terra, mas também o ponto em que o processo se inverte e os dias começam a se prolongar, ele manifesta o movimento cíclico de vaivém que caracteriza os fenômenos naturais e sobre os quais o homem deve se calcar. Ele tem o sentido, portanto, de repetição, de ação repetida várias vezes, como exprime o comentário do julgamento: "Retorno repetido na estrada percorrida de trás para diante". De resto, Confúcio associa o exame diário de consciência a que se dedica seu discípulo favorito, Yen Houei, ao julgamento do primeiro traço do hexagrama. Compreendemos então que a figura pode fornecer a transcrição diagramática da exploração atenta do terreno, ao passo que o simbolismo das figuras pode valer como metáfora do medo (o Trovão e, portanto, o estremecimento e o pavor) daquele que é desentocado de sua cova (a Terra) por batidas e buscas minuciosas.

Os comentários modernos não perdem a oportunidade de fornecer sua messe de exemplos estratégicos. Mas o procedimento também tem aplicações na esfera política. Aliás, essas são as mais interessantes. Han Fei, nas "Seis obscuridades", cita um caso clássico:

"O rei Tch'eng, de Tch'ou, havia designado o príncipe Chang-tch'en como seu sucessor. Quis substituí-lo por Tche e Chang-tch'en ouviu o boato, sem ter a prova cabal. Chamou então seu preceptor, P'an Tchong, e perguntou:

– Como posso ter certeza?

– Falte ao respeito com a irmã do rei, a senhora Kiang-mi, por ocasião do próximo banquete.

O príncipe seguiu o conselho:

– Sujeito ordinário! – exclamou a tia ultrajada. – O rei tem razão de querer substituí-lo por Tche!

"Então é verdade", disse Chang-tch'en com seus botões.

P'an Tchong perguntou:

– Está disposto a servir a Tche se ele for nomeado em seu lugar?

– De maneira nenhuma!

– Está disposto a ir para o exílio?

– Não!

– E a realizar um ato grave?

– Isso sim!

O delfim rendeu a guarda do palácio e atacou o rei Tch'eng. Este, encurralado pelos rebeldes, pediu a graça de se banquetear uma última vez com patas de urso antes de morrer, o que lhe foi recusado. Então, ele pôs fim aos seus dias."

借尸还魂

JIE SHI HUAN HUN

DÉCIMO QUARTO ESTRATAGEMA

Emprestar um cadáver para alojar uma alma

É difícil obter o que é útil a alguém; fácil é obter o que não lhe serve. Emprestando o que não serve ao outro para fazer com que sirva ao nosso uso próprio, colocamo-nos na situação em que não somos nós que "perguntamos ao jovem ignorante, mas é ele quem nos solicita".

Comentário:

No momento das mudanças dinásticas, aqueles que, na confusão ocorrente, levam ao trono um rebento qualquer da falecida casa reinante, e encarregam-se de todas as operações militares no lugar dele, fazem uso desse expediente.

❖❖❖

Segundo a lenda, Li Yue – também chamado Li-muleta-de-ferro – aprendeu com seu mestre Liu Tong-pin a arte de viajar em espírito através do espaço. Ora, um dia, por culpa de um discípulo que mandou queimar seu cadáver no momento em que sua alma havia abandonado o despojo carnal para um passeio místico junto de *Lao-tsé*, seus sopros vitais ficaram incapacitados de retornar à morada habitual. Depois de muitas atribulações, estes finalmente encontraram refúgio no corpo nojento de um mendigo manco e coberto de escrófulas. Para consolá-lo, a rainha-mãe do Ocidente, a grande divindade do panteão taoísta, deu-lhe uma muleta de ferro de presente. É desse episódio da vida do santo que teria nascido a expressão "emprestar um cadáver para alojar uma alma". Ao longo das eras, a locução ganhou uma multidão de conotações diversas. Pode assumir acepções tão variadas como servir de espantalho, esconder-se atrás de um fantoche, misturar vinho velho a vinho novo ou, ao contrário, pôr vinho novo em garrafas velhas e, por fim, designar a arte furtiva, que consiste em tornar útil aquilo que não tem utilidade para mais ninguém.

A fórmula enigmática que deveria esclarecer a expressão proverbial, que serve de etiqueta para o estratagema ("não somos nós que 'perguntamos ao jovem ignorante, mas é ele quem nos solicita' ") refere-se ao hexagrama 4, *Mong*, "Cegueira", que é formado pelo trigrama *K'an*, o "Fosso", abaixo do trigrama *Ken*, a "Montanha". O julgamento geral da figura adverte o consulente para as perguntas reiteradas e importunas ao oráculo: "Não sou eu quem solicita o jovem ignorante, é ele quem me solicita. Na primeira vez, eu tiro a sorte; mas, quando me fazem duas ou três vezes as mesmas perguntas torna-se importunice e eu me nego a responder aos importunos. A perseverança é benéfica." O compilador dos *36 estratagemas* torce a expressão e, jogando com as palavras, dá a ela um sentido que não é o do *Livro das mutações*. Acima de tudo, ele tem a intenção de enfatizar a vantagem que há em saber tirar partido da ignorância do outro – que o torna incapaz de compreender a utilidade do inútil. Assim, tem-se a dupla vantagem de conquistar sem muito custo um bem que poderá ser útil (no mais das vezes contra aquele que o cedeu) e ganhar o reconhecimento do imbecil que acredita que lhe fizeram um favor livrando-o de um estorvo.

O comentário interpreta a expressão num sentido muito diferente – com implicações políticas, sobretudo – e vê nela o procedimento clássico que consiste em mexer os pauzinhos nos bastidores, usando um fantoche munido de certo prestígio por suas ações passadas, seu nome ou seu título.

A literatura militar moderna que se desenvolveu em torno dos *36 estratagemas* dá um sentido figurado à expressão: uma alma – um homem ambicioso que dispõe de uma aura ou de apoios poderosos – deve fixar-se num cadáver – uma base territorial ocupada por um poder vacilante, que não sabe tirar partido dela e servirá de trampolim para a ascensão do outro. É citado então o caso exemplar de Lieou Pei, que, dispondo do carisma e dos colaboradores necessários, mas não de um feudo suficiente, soube aproveitar a oferta providencial de Lieou Tchang, que buscava os serviços de um herói e de um sábio. Uma vez no interior da praça, ele não tardou em eliminar o "jovem ignorante" (Lieou Tchang), incapaz de tirar partido de suas possessões, e a utilizar a terra do Yi-tcheou em proveito próprio.

Tchuang-tseu também fala do estratagema, mas à sua maneira subversiva, destacando o conceito de utilidade da inutilidade, de modo que, num mesmo movimento, dá a ele sua maior extensão e o anula na perfeição de sua realização. Uma vez que a utilidade da inutilidade excede qualquer utilidade, o próprio conceito de utilidade perde o sentido, tanto que o pensamento estratégico em seu conjunto se vê condenado à nulidade. Assim, num diálogo que o põe diante de seu adversário e amigo, o sofista Houei-tseu, e que conclui o primeiro capítulo de suas obras, "Passeios extáticos", a utilidade oculta da inutilidade é exaltada num primeiro momento só para ser mais bem ridicularizada num segundo:

"– O rei de Wei – declarou certa vez Houei Cheu a seu amigo mestre Tchuang – deixou-me sementes de abóboras gigantes. Eu as plantei e elas deram frutos tão grandes que não serviam nem para pote, porque a casca não era bastante firme, nem para serem cortados e transformados em taças, porque ficariam rasas demais para conter alguma coisa. Grandes lá isso elas eram, mas como não tinham nenhuma serventia, eu as cortei em pedaços!

– Isso prova – retorquiu mestre Tchuang – que você é incapaz de ver grande. Um homem de Song descobriu um bálsamo contra frieiras. Sua descendência o utilizava desde então, de pai para filho, para lavar a sede bruta em todas as estações. Um estrangeiro ouviu falar e ofereceu cem peças de ouro por ele. A família reuniu-se para examinar a proposta: 'Há quantas gerações nós nos matamos na profissão de lavadores de seda e só com muito custo conseguimos juntar algumas peças de ouro! Agora que temos a oportunidade de ganhar cem peças de ouro num único dia, seria loucura tergiversar!'. Uma vez em posse da fórmula, o homem foi até o rei de Wou. Ora! Acontece que o Yue havia acabado de lançar combate contra o vizinho. O rei de Wou concedeu ao estrangeiro o comando de sua frota. Durante o inverno, houve um combate naval e a frota do Yue foi derrotada graças ao bálsamo que os marinheiros haviam passado nas mãos para protegê-las do frio. O Yue cedeu uma parte de seu território ao rei de Wou, que a ofereceu como apanágio ao general para recompensá-lo por seus serviços. O mesmo bálsamo permitiu que, num caso, se conquistasse um feudo, ao passo que, no outro, só serviu para lavar a seda grosseira.

E mestre Tchuang concluiu:

– Você tinha uma abóbora de 50 alqueires. Por que não pensou em transformá-la em navio para vogar por rios e lagos, em vez de lamentar que era rasa demais, para conter alguma coisa? Que mente tacanha você tem!"

调虎离山
TIAO HU LI SHAN

DÉCIMO QUINTO ESTRATAGEMA

Fazer o tigre sair da montanha

Nós nos apoiamos no fator temporal para pôr o inimigo em dificuldade e ao mesmo tempo o atraímos com artifícios humanos. É adequar-se à máxima: "Obstáculos na ida, dificuldades na volta".

Comentário:

A arte da guerra diz: "Atacam-se as cidades por último", porque se a praça opuser uma defesa sólida, vai-se ao encontro de uma ruína certa. Quando o inimigo ocupa uma posição vantajosa, nunca se deve tentar desalojá-lo à viva força. Ele é dono da situação e, ainda por cima, dispõe de um grande poder estratégico. Como ele é dono da situação, está excluído fazê-lo mover-se sem acenar com algum proveito; como dispõe de um grande poder estratégico, não se poderá derrotá-lo sem recorrer aos meios conjugados do fator temporal e dos artifícios humanos.

No final da dinastia dos Han, um destacamento de K'iang, valendo-se de vários milhares de homens, bloqueou Yu Yu na saída do estreito de Tch'en-ts'ang. Este, sem tentar forçar a passagem, espalhou que havia enviado uma carta à corte para pedir reforços e que só lançaria a ofensiva quando estivessem no local. Como a informação chegou aos ouvidos dos K'iang, estes se dispersaram pelos campos vizinhos para se livrar da pilhagem e do vandalismo. Yu aproveitou que as tropas bárbaras estavam dispersas para avançar a marcha forçada, tanto durante o dia quanto à noite, e vencer etapas de cem léguas. Além disso, ele pediu aos soldados que fizessem cada um duas fogueiras e que dobrassem a quantidade a cada parada. Desse modo, os K'iang não ousaram incomodá-lo e sofreram uma derrota dolorosa. Fazendo com que acreditassem que só se lançaria ao combate quando chegassem os reforços, Yu "acenou com uma vantagem"; fazendo com que os soldados avançassem a marcha forçada, tanto durante o dia quanto à noite, "ele pôs o inimigo em dificuldade apoiando-se no fator temporal"; pedindo aos homens que a cada vez eles dobrassem o número de fogueiras, "ele o enganou com um artifício humano".

⁂

O sentido da máxima divinatória, que é tirada do julgamento da quarta linha do hexagrama 39, *Kien*, "Obstáculo", "Dificuldade", é pouco claro no contexto do estratagema – como de resto a sentença hexagramática é sibilina e aceita interpretações variadas. Podemos igualmente compreender: "Dificuldades na ida, dificuldades na volta", ou ainda: "Dificuldades na ida, de palanquim na volta", e por último, como traduziu R. Wilhelm: "Dificuldades na ida, aliança na volta". Provavelmente para fazê-la casar com o estratagema, o autor a interpreta da seguinte maneira: ao invés de sofrer dissabores indo procurar o tigre em sua toca (obstáculo – para nós mesmos – na ida), é melhor colocá-lo em dificuldade fazendo com que venha até nós (dificuldade – para o tigre – na volta).

O título do estratagema dispensa comentários. Poderia ser "fazer o lobo sair do mato". No capítulo XV, dedicado à arte da guerra, o *Houai-nan-tseu* contém uma passagem que exprime a mesma idéia, mas dando-lhe um toque mais geral. Na medida em que todos os seres vivos são movidos pelas paixões e atormentados pela necessidade, se expõem às tramóias do outro, porque têm de se aventurar fora do seu quadro natural:

"Se o tigre e o leopardo não se movessem, não cairiam nas armadilhas; se o alce e o cervo não se movessem, não seriam pegos nos laços; se o pássaro que voa não se movesse, não se debateria nas redes; se o peixe e a tartaruga de água não se movessem, não morderiam o anzol. Não existe ser vivo cuja atividade não seja a causa de sua perda. É por isso que o santo prega o repouso. O repouso permite que se responda ao movimento. Aqueles que se movem por último se encontram em condições de dar a réplica àqueles que tomaram a iniciativa."

欲擒姑纵
YU QIN GU ZONG

DÉCIMO SEXTO ESTRATAGEMA

Deixar o adversário fugir para melhor capturá-lo

Se pressionarmos o adversário em demasia, ele poderá voltar suas armas contra nós, ao passo que, se o deixarmos fugir, poderemos encetar seu poder. Seguindo-o de perto sem acossá-lo, minamos seu potencial ofensivo, embotamos seu ardor combativo. Deixamos que se disperse para pegá-lo na ratoeira. É o que se chama vencer sem manchar a lâmina de sangue, à imagem da fórmula: "Espere: confiança, glória".

Comentário:

"Deixar que se safe" não significa deixar a presa escapar pura e simplesmente, mas seguir o adversário, afrouxando a corda. A fórmula da *Arte da guerra*: "Não se força um inimigo em apuros" transmite o mesmo sentido. Todavia, não acossar não significa em absoluto não perseguir, mas, simplesmente, não pressionar demais. Luz da Razão capturou e soltou sete vezes o inimigo; soltava-o apenas para se lançar novamente ao seu encalço. Foi assim que, de captura em soltura, ele se aventurou até o coração do país dos Mans, onde não brotava nem um talo de grama. Mas, para dizer a verdade, na medida em que o homem do Estado tinha em vista, sobretudo, a conquista de um território, e queria usar Soberba Cilada para obter a submissão de todos os selvagens meridionais, seu plano não tinha nenhuma relação com os objetivos da pura estratégia. No campo exclusivamente militar, não se deve libertar um inimigo que se capturou.

A sentença críptica é uma citação do julgamento sobre a configuração global do hexagrama 5, *Hsiu*, "Espera". O autor tem a intenção de escorar na autoridade do *I Ching* – que, afinal, não diz nada além do que o provérbio "Quem espera sempre alcança" – a afirmação de que é preciso ser paciente, e não apressar as coisas quando se quer derrotar o adversário sem disparar um tiro.

A expressão que dá título ao estratagema lembra certas fórmulas do versículo 36 do *Lao-tsé*: "Aumente quem você quer reduzir, fortaleça quem você quer enfraquecer, eleve quem você quer destituir, dê a quem você quer tomar: eis a clareza sutil...". Esses são princípios taoístas, que se popularizaram na época dos Reinos Combatentes. Han Fei cita uma máxima paralela que ele atribuiu a um *Tcheou-chou, Livro de feitiços dos Tcheou*, que, em substância, diz o seguinte: "Ajude quem você quer destruir, dê a quem você quer espoliar". Mas resta pouca dúvida de que, na época em que foi compilada a lista dos 36 estratagemas, a locução evocava imediatamente o célebre episódio da sêxtupla libertação do rei dos bárbaros Mans, Soberba Cilada, pelo genial e generoso Luz da Razão, narrado no romance dos *Três reinos* e do qual bastará um trecho para se compreender do que se trata. Aqui, narra-se a terceira captura e a terceira libertação do bárbaro:

"Nesse meio tempo, Luz da Razão já havia conseguido quase a totalidade dos bárbaros para que depusessem as armas. Depois, tratou de tranqüilizá-los e apaziguá-los, sem lhes infligir castigo, contentando-se em rogar que os ajudassem a apagar os focos de incêndio. Nesse momento, Ma Tai retornou com seu cativo, enquanto Nuvem trazia Soberba Qualidade solidamente amarrado. Quanto a Condutor, Ma Tchong, Wang P'ing e Kouan Souo, eles traziam cada um sua colheita de chefes mans. Então, apontando na direção de Soberba Cilada, Luz da Razão repreendeu-o, sorrindo:

– Pensou seriamente que me engabelaria, enviando seu irmão com os braços carregados de presentes para me apresentar uma fidelidade falsa? Eu o peguei mais esta vez. Então, você se submete ou não?

– Bah! Você deve minha captura à gulodice do meu irmão, graças a você que conseguiu dopá-lo e pôr a perder uma grande operação. Mas, se meu irmão tivesse conseguido responder de dentro ao meu ataque, é óbvio que ela teria sido coroada de sucesso! Não foi absolutamente por falta de talento da minha parte. Nessas condições, não tenho motivo nenhum para me submeter.

– É a terceira vez que eu o capturo, e você ainda se recusa a aceitar a derrota?

O bárbaro baixou a cabeça sem responder. O ministro soltou uma grande gargalhada:

– Bom, eu lhe dou a liberdade mais esta vez!

– Ah, se nos deixar partir, eu e meu irmão, para que eu possa reunir todos os membros do clã e travar contra si, ó senhor ministro, um grande combate, aí sim; se mais uma vez conseguir me pegar, prosternarei-me aos seus pés e jurarei fidelidade, com alegria!

– Mas cuidado para que eu não o pegue de novo, porque prometo não poupar ninguém! Sendo assim, eu aconselho que você seja prudente e reveja seus manuais de estratégia, disponha com cuidado as tropas de sua gente e adote um bom plano de campanha, se não quiser se arrepender depois!

Mandou desamarrar os dois irmãos e libertou-os, assim como todos os outros caciques. Depois de se prosternarem em sinal de agradecimento, os homens partiram."

É provável que o autor também tenha em mente certas recomendações dos livros de estratégia que sublinham os perigos de se encurralar o inimigo. Quando se vêem em apuros, os soldados lutam com a energia do desespero e deve-se temer que revertam a situação a seu favor. "Não se barra a estrada de uma tropa que está voltando para casa, reserva-se uma saída para um exército cercado, não se força um inimigo em apuros: essas são algumas regras elementares que dizem respeito ao uso dos exércitos", proclama o *Sun-tzu*. E Chang Yang, num de seus capítulos dedicados às questões militares, faz eco: "Quando, na derrota, as tropas adversas se espalham pelo campo, como a onda impetuosa de um grande rio que varre tudo em sua passagem depois de romper os diques, não convém ir ao seu encalço. Esse é um dos princípios essenciais da arte da guerra: nunca se deve perseguir um inimigo por mais de dez léguas depois de uma grande batalha e por mais de cinco léguas depois de ter conquistado a vantagem numa escaramuça".

Um diálogo apócrifo entre o rei de Wou e Sun Tzu, citado por um comentador de *A arte da guerra* chamado mestre Ho, estende-se longamente sobre essa questão:

"O rei de Wou perguntou:

– E se sou eu quem cerca o inimigo, o que é preciso que eu faça?

Sun Tzu disse:

– Erguem-se ao redor montanhas escarpadas entremeadas de vales profundos, difíceis de transpor, de modo que o inimigo esteja em apuros. Nessas condições, o método para atacá-lo é o seguinte: é preciso dissimular soldados numa emboscada e reservar uma via de passagem para o inimigo, a fim de tentá-lo com a oferta de uma retirada; buscando a salvação na fuga, ele perderá todo ardor combativo; então será possível atacá-lo e vencê-lo, mesmo se ele for em grande número."

抛砖引玉

PAO ZHUAN YIN YU

DÉCIMO SÉTIMO ESTRATAGEMA

Jogar tijolo para apanhar jade

Joga-se com a semelhança para atrair o adversário e melhor "golpear o cego".

Comentário:

Existem muitas e muitas maneiras de atrair o inimigo. A melhor delas não reside nas falsas aparências, mas na perfeita semelhança; só ela pode realmente induzir ao erro. Agitar bandeiras ou rufar tambores para atrair o adversário para uma armadilha é empregar falsas aparências; utilizar velhos e crianças, assim como forragem, para atraí-lo, eis aí o que se chama recorrer à perfeita semelhança.

❖❖❖

A expressão que dá título ao estratagema teria origem numa anedota literária registrada numa coletânea de historietas budistas, *Notas sobre a transmissão da lâmpada*. Quando o grande poeta Tchao Kou foi a Soutcheou, um admirador local, um certo Tch'ang Kien, que também fazia rimas, conseguiu arrancar dele alguns versos escritos de próprio punho, recorrendo ao seguinte estratagema: tendo sabido que ele deveria ir ao mosteiro da falésia dos Espíritos, antecipou-se e escreveu no muro uma quadra inacabada, certo de que esses poucos versos serviriam de isca para a inspiração poética de Tchao Kou. E de fato, ao ler aquele princípio de composição poética, o visitante não pôde se impedir de acrescentar os versos que faltavam. Como eram de uma feitura infinitamente superior, dizia-se nos meios letrados da cidade que Tch'ang Kien havia jogado tijolo para apanhar jade.

Visivelmente, o autor da explicação brinca com as expressões oraculares do *I Ching* quando associa o estratagema ao julgamento da última linha do hexagrama 4, "Cegueira"! É provável que quisesse dizer com isso que, por menos atraente que seja a isca, e a promessa de vantagem sendo bastante plausível para deslumbrar o inimigo, é possível atraí-lo para uma armadilha e golpeá-lo, como se fosse cego.

Já o comentador insiste no caráter verossímil da isca. Quanto mais realidade ela tiver, mais susceptível de mordê-la será o inimigo. Trata-se, na verdade, da formulação imagética de uma máxima da arte militar enunciada da seguinte maneira por Sun Tzu: "Atraia o adversário com a promessa de uma vantagem".

O romance dos *Três reinos*, no capítulo CII, "Luz da Razão fabrica bois de madeira e hipodeslizadores", fornece mais uma vez um bom exemplo:

"Mas retornemos um pouco a Luz da Razão, a quem Kao Hsiang relatou que o inimigo havia roubado dele cinco ou seis máquinas. Diante da novidade, ele soltou um riso franco:

– É justamente o que eu queria! O sacrifício desses poucos bichos em breve me trará um imenso proveito.

– O que o faz dizer isso? – admirou-se seu séqüito.

– Sse-ma Yi vai se apressar em copiá-los, e então poderei executar meu plano!

De fato, alguns dias depois, um espião informou-o que o adversário, tendo aprendido a fabricar bois e cavalos mecânicos, enviou um regimento ao Longo-ocidental para proceder ao transporte de víveres.

– Eis o que concorda com as minhas previsões!

Ele convocou Wang P'ing e comunicou-lhe seu plano de ataque:

– Conduza mil homens disfarçados de soldados do Wei, esta noite mesmo, à planície do norte e finja ser um esquadrão de inspeção do trem. Uma vez no comboio, ataque a escolta encarregada de sua proteção e traga os cavalos e os bois diretamente pela planície, onde com certeza vocês serão perseguidos por uma coluna do Wei. Então, vire a língua dos cavalos e dos bois e trave-os. Uma vez que os bichos forem imobilizados por essa manobra, abandone-os e fuja. Por mais que os perseguidores puxem e empurrem daqui para lá e de lá para cá, os bichos não se moverão um milímetro! Será nesse momento, então, que aproveitarei para voltar à carga com o exército, enquanto vocês virarão as línguas no sentido contrário, pondo o comboio mecânico novamente em marcha. E lhe garanto que as tropas do Wei ficarão petrificadas de terror!

Uma vez que Wang P'ing partiu para executar suas ordens, Luz da Razão chamou Tchang Ni e lhe disse:

– Você vai assumir o comando de um pelotão de quinhentos homens, que terão os rostos pintados como diabos e levarão um estandarte enfeitado numa mão e uma espada na outra, e pendurarão cantis cheios de produto fumígeno ao redor do corpo. Vocês se esconderão na encosta da montanha e esperarão a vinda da caravana dos bichos animados. Nesse momento, vocês liberarão a fumaça e se lançarão todos juntos contra o comboio, arrastando-o com vocês. Os soldados do Wei pensarão que se trata de um exército de demônios e certamente não ousaram ir atrás de vocês!".

Foi assim que, graças à isca de alguns bois e cavalos mecânicos, e de um ardil digno de Bibi Fricotin[9], o diabólico Luz da Razão conseguiu se apoderar de uma boa parte das provisões do Wei. Esses cavalos, que foram dados à guisa de isca, lembram outro cavalo famoso, fabricado pela mão do homem: o cavalo de Tróia. E já que evocamos os gregos, nao podemos deixar de mencionar – em se tratando de um meio astucioso que permite colher jades, ainda que para o provérbio eles sejam metafóricos antes de tudo – o curioso procedimento do qual fazem uso certos povos da grande Cítia para colher diamantes – ao menos segundo o que diz o *Tratado das doze gemas*, de Epifânio. Como as gemas repousam no fundo de um despenhadeiro inacessível, os habitantes dessas regiões jogam pedaços de carne no precipício, onde as águias se apoderam deles e os trazem lá do fundo do abismo em direção às alturas para comê-los. Quando os pássaros saciados abandonam seus postos, os coletores podem se apoderar das jóias abandonadas entre os ossos.

Mais hábeis que os caçadores de águias de Heródoto e que os estrategistas dos *Três reinos*, as lindas comadres de Boccaccio conseguem conquistar o jade de uma posição dominante apenas jogando um vulgar pedregu-

[9] Personagem de história em quadrinhos, criado em 1924 por Louis Forton para o jornal *Le Petit Illustré*. [N. T.]

lho. Foi assim com a mulher de Tofano, que teve o desprazer de encontrar a porta trancada ao retornar de uma escapada amorosa, e o marido a se fingir de bêbado para confundi-la. Como suas mentiras e súplicas não demovem o marido, ela ameaça se jogar no poço a ter de passar vergonha e, unindo o gesto à palavra, vai até o poço e joga dentro dele uma pedra grande. O marido engabelado corre para socorrê-la, e a mulher, valendo-se da escuridão, insinua-se pela porta, que ficou entreaberta, dá duas voltas na chave, sobe para o andar de cima e, dessa posição estratégica, derrama-se em queixas sobre as estroinices do marido, despertando a vizinhança com suas injúrias. As aparências vão contra o marido, e ele é xingado pela rua. O rumor do escândalo chega à família dela. E os irmãos, que vêm prestar ajuda à pobre irmã ultrajada, dão uma bela sova no infeliz marido.

擒贼擒王
QIN ZEI QIN WANG

DÉCIMO OITAVO ESTRATAGEMA

Pegar o chefe para capturar o bando

Sacudimos a base e nos apossamos da cabeça de modo que todo o corpo se desloque, pois “quando dragões lutam no campo, um deles vai embatucar”.

Comentário:

Quando se conquista a vitória, deve-se explorá-la até o fim. De fato, contentando-se em agarrar o peixe miúdo e deixando escapar a caça graúda, os simples soldados se retiram seguros do proveito, mas os oficiais saem esfalfados, o general-em-chefe sai abalado, e o sucesso fica comprometido. Sim, conquistar a vitória total e mostrar-se incapaz de minar os fundamentos do poder inimigo e capturar seu chefe é como permitir que um tigre retorne à sua toca. Para eliminar o comandante dos exércitos adversos, não se deve fiar-se em insígnias e pendões, mas descobrir de onde emanam as instruções. Foi assim que Tchang Souen, quando estava às voltas com o chefe rebelde Yin Tseu-ts'i, penetrou no campo adverso, abriu caminho até o estandarte do comandante e semeou a morte e a desolação entre o inimigo, mas sendo incapaz de descobrir o chefe no meio dos outros oficiais para abatê-lo com seu arco, talhou flechas em caniços. Contentes, aqueles que ele atingiu foram prevenir Tseu-ts'i que o adversário não tinha flechas suficientes. Reconhecendo-o assim, Souen pediu ao seu oficial Ts'i-yun que disparasse uma flecha, que atingiu o olho esquerdo do outro. Tseu-ts'i só escapou da captura por milagre e, lastimosamente, bateu às pressas em retirada.

❖❖❖

Atribuiu-se a Tu Fu, o célebre poeta dos T'ang, a paternidade da locução que se tornou proverbial e serve de título para o estratagema 18. Ela aparece num poema de fundo político em que o poeta estigmatiza, com meias palavras, o comportamento do imperador Hsiuan Tsong diante dos Tou-fan, que ele considera belicoso e ao mesmo tempo pusilânime.

A formulação hexagramática da expressão proverbial quadrissílaba é uma das mais obscuras no contexto do estratagema. É tirada do comentário simbólico do julgamento da última linha do segundo hexagrama, *K'ouen*, "Terra", que serve para explicar a sentença críptica: "Os dragões lutam no campo: o sangue deles é preto e amarelo". Segundo a interpretação tradicional, o julgamento associado à linha dá conta da estrutura do hexagrama em que o feminino, monopolizando as seis posições, satura todo o campo do real e ameaça o yang, que deve reprimir as forças obscuras que proliferam a ponto de ocupar o terreno e não deixar o mínimo espaço livre para ele se desenvolver. Segue-se um combate nocivo para ambas as partes, mas com um desfecho previsível, na medida em que todo princípio que chega ao cume só pode declinar. Referindo-se a um comentário externo chamado *Palavras sobre os trigramas*, uma glosa afirma que o trigrama Céu, que marca o canto sudoeste da rosa dos ventos, é o local do combate entre o yin e o yang, e acrescenta que o julgamento fala de uma batalha no campo, porque a luta se desenrola não nas figuras, mas fora delas, nas margens das representações que ela condiciona, porém em que não consegue aparecer. O compilador dos *36 estratagemas* faz provavelmente uma referência implícita à cláusula que fecha o hexagrama Céu: "O diagrama é constituído unicamente de números nove (isto é, linhas velho yang mutantes). Aparece então como um vôo de dragões sem cabeça: altamente benéfico". O hexagrama coloca-se por inteiro em movimento e transforma-se no seu oposto, *K'ouen* (a Terra), que se compõe de traços quebrados e se caracteriza pela passividade, pela suavidade e pela submissão. São os dois termos "sem cabeça" e "combate sangrento" que estão em destaque aqui. Uma vez eliminado o chefe, o exército não é mais do que um bando de dragões decapitados que será necessariamente vencido, como o yin que, chegando ao seu apogeu, é reprimido pelo yang porque se encontra num beco sem saída.

Mais do que um estratagema, trata-se de uma regra de bom senso, que de resto pode ter efeitos contrários aos que se esperam. Às vezes, um chefe rebelde carismático é mais temível morto do que vivo, porque de chefe de bando se transforma em herói e mártir. Foi o caso de Che Guevara. E mais do que matar um líder popular, todas as polícias políticas sabem que o melhor é desacreditá-lo, tornando-o um traidor. É sobre essas considerações, de resto, que se constrói a novela *Tema do traidor e do herói*, de Borges, em que ele imagina o chefe da revolta irlandesa, Kilpatrick, transformado em mártir pelos seus para que sua traição não seja revelada e não dê o golpe fatal na insurreição planejada pelos conjurados.

Capítulo IV

Estratagemas da guerra confusa

釜底抽薪
FU DI CHOU XIN

DÉCIMO NONO ESTRATAGEMA

Retirar o combustível debaixo do caldeirão

Diminuímos o foco do poder inimigo quando não podemos nos opor frontalmente às suas forças, já que o "Céu" está acima e o "Lago" está abaixo.

Comentário:

A água, que ferve, tem uma força temível; essa força vem do fogo. Não podemos nos opor ao ardor do yang incluso no yang. O combustível é a alma do fogo. Yin no interior do yang, ele é o foco do poder do qual resulta a força e do qual, contudo, podemos nos aproximar sem prejuízo. Eis por que, quando não se é capaz de enfrentar as forças adversárias, é sempre permitido secar a fonte de seu poder. *A arte do comando*, do comandante Leao, diz: "Cheios de ardor, os homens fazem frente; desmoralizados, eles fogem". Ora, não há outra maneira de reduzir o ardor das tropas adversas senão minando seu moral. Assim, certa vez, os rebeldes atacaram à noite, de surpresa, o campo do ministro dos Exércitos, Wou Han, semeando o pânico. Wou Han permaneceu tranqüilamente deitado, sem demonstrar o mínimo sinal de agitação. Como os homens logo se contiveram graças ao sangue-frio do chefe, Wou Han selecionou um contingente de tropas de elite para lançar um contra-ataque sob a escuridão e infligir um revés doloroso ao sitiante. Em vez de tentar se opor de frente à fúria inimiga, o ministro dos Exércitos soube atacar o foco de sua impetuosidade. Sob os Song, quando Hsiue Tch'ang-jou estava em Han-tcheou na qualidade de inspetor-geral, os conscritos se amotinaram, abriram a porta do acantonamento militar, penetraram na cidade, queimaram e massacraram tudo em sua passagem, decididos a matar o prefeito e o fiscal da cavalaria e da infantaria. Informados da gravidade da situação, o prefeito e seu subordinado meteram-se na toca sem ousar se mostrar. Foi então que Hsiue Tch'ang-jou se ergueu em toda a sua grandeza e saiu para trazer os rebeldes de volta à razão: "Todos vocês têm pais e mães, mulheres e filhos. O que deu em vocês para se comportarem dessa maneira? Que todos aqueles que não se meteram no complô se reúnam todos juntos de um lado". Todos permaneceram imóveis em seus lugares, sem ousar se mexer; apenas oito líderes saltaram adiante, fugiram pelo portão e se dispersaram pelos campos vizinhos, onde não tardaram a ser alcançados e capturados. Todos os habitantes concordaram que, sem a presença de espírito de Tch'ang-jou, a cidade teria sido reduzida a cinzas. Eis um bom exemplo de eficácia das técnicas de desmoralização. Outra interpretação é que, quando as forças são desequilibradas, pode-se dar cabo de um adversário poderoso aproveitando seus pontos fracos para abalar e frustrar os frutos de seus esforços.

❖❖❖

Admite-se, unanimemente, que a expressão, usada para designar o décimo nono estratagema, remonta uma apelação que um dignitário dirigiu ao imperador Wou, dos Leang, para que ele renunciasse ao projeto de apoiar um potentado que tinha contas a ajustar com seus antigos suseranos, porque, como fê-lo ver, "não se interrompe a fervura retirando o combustível do caldeirão como se elimina a erva daninha arrancando suas raízes".

A composição do hexagrama 10, *Liu*, "Marcha", à qual se faz alusão na explicação, representa perfeitamente a situação para a qual foi feito o estratagema: o Céu, trigrama que se compõe de três traços cheios, masculinos, reina acima do Lago, trigrama feminino, mole, que constitui o elo fraco que convém atacar. Já o comentário faz referência à estrutura global da figura, em que um único traço yin se encontra isolado no meio de cinco traços yang e constitui o coração frágil no interior de uma configuração poderosa e dominadora. Essa dialética da força da fraqueza, que sabe domar a força brutal do yang – em razão do ponto fraco que este, a exemplo de todas as manifestações sensíveis, contém –, também se encontra na relação que os dois elementos do símbolo mantêm entre si e que é expressa tanto pelo comentário do julgamento quanto pela "Grande imagem": "A Marcha. O Maleável marcha sobre o Duro. Afável, ele sabe responder ao Viril. É por isso que se diz: 'Pode-se pisar sobre a cauda de um tigre sem que ele morda'." "O Maleável marcha sobre o duro", porque, de fato, a linha par, feminina, encontra-se na terceira posição do trigrama inferior; e "Afável, ele sabe responder ao Viril", porque o trigrama do Lago, *Touei*, cujo atributo é a alegria (e, por extensão, tudo aquilo que a provoca) está abaixo do trigrama *K'ien*, Céu, o Masculino, que personifica o subordinado ameno que sabe lidar com um superior violento e irascível e manipulá-lo tão bem que o neutraliza e acaba tomando seu lugar. Pela configuração das linhas e pela posição dos emblemas, pode-se ler a atitude que se deve adotar diante de uma situação de inferioridade – cujo resumo é dado pela máxima proverbial e cuja solução concreta é fornecida pelo estratagema.

É significativo que o comentário interprete o "combustível" em termos de moral e de vigor, e não de infra-estruturas econômicas. Ele se insere assim na mais antiga tradição militar chinesa. Esta, em última instância, enfatiza mais os fatores psicológicos que os fatores materiais. *A arte do comando*, do comandante Leao, aparentemente redigida por volta do final do século IV a.C., insiste de modo muito particular nesse aspecto, já que chega a afirmar que o campo que detém a vitória é aquele cujos soldados temem mais seus próprios generais que o inimigo, graças à disciplina férrea que os oficiais conseguem impor:

"Um general combate com tropas, as tropas combatem com o moral. Cheios de ardor, os homens fazem frente; desmoralizados, eles fogem. Antes que as formações sejam desdobradas e os exércitos tenham entrado em contato, há cinco etapas preliminares em que se pode minar o moral do adversário. Tomamos ascendência sobre ele apenas elaborando nossos planos na sala de deliberações do palácio; em segundo lugar, no momento da entrega solene do comando ao general-em-chefe pelo soberano; em terceiro lugar, na hora de transpor a fronteira; em quarto lugar, protegendo-se atrás de muros altos e fossos profundos; em quinto lugar, no momento de iniciar o combate. Em cada um desses estágios, convém avaliar o inimigo antes de agir. Atacando sempre seus pontos fracos, abalamos sua confiança. O grande capitão embota o entusiasmo adverso e nunca deixa que o outro embote o seu. Minar o moral do inimigo é tornar-se dono das motivações de seu espírito."

O *Sun-tzu* também evoca várias vezes o peso do moral no desfecho de uma batalha. Assim, no capítulo VII:

"O entusiasmo dos exércitos pode ser minado, assim, como a resolução do general pode ser abalada. O humor matinal é belicoso; o humor de meio-dia é indolente; o humor vespertino é nostálgico. Por ter o controle do moral, um bom general evita o inimigo quando ele está de humor belicoso e ataca-o quando está indolente ou nostálgico; por ter o domínio da resolução, opõe ordem à desordem, calma à agitação; por deter o domínio das forças, opõe homens que vêm de longe aos combatentes posicionados nas proximidades do teatro de operações, soldados esgotados às tropas descansadas, ventres vazios aos ventres cheios; por ter um perfeito controle da manobra, não desafia bandeiras orgulhosamente desfraldadas nem batalhões impecavelmente ordenados."

混水摸鱼
HUN SHUI MO YU

VIGÉSIMO ESTRATAGEMA

Pescar em águas turbas

Graças à confusão e à desordem, tira-se vantagem da fraqueza e da versatilidade do inimigo, adequando-se à máxima: "Seguir: o grande homem mete-se na cama ao anoitecer".

Comentário:

Nos períodos confusos e movimentados, quando várias forças se desafiam, o mais fraco não sabe mais a que santo recorrer; se a situação escapa à perspicácia do inimigo, eu posso me juntar a ele e me assenhorear dela. Os *Seis arcanos* dizem: "Quando o grosso das tropas é tomado de pânico ao mínimo alerta, quando os soldados saem das fileiras, quando os homens assustam uns aos outros exagerando o poder do inimigo, quando convencem a si mesmos de que o desfecho das operações não será vantajoso, quando não cansam de se lançar olhares e de cochichar no ouvido uns dos outros, quando circulam boatos impossíveis de conter, quando se espalham todos os tipos de fábulas capazes de semear inquietação nos espíritos, de modo que as ordens não são mais obedecidas nem os chefes são respeitados, esses são sinais evidentes de fraqueza". Sendo assim, o peixe pode ser pego em tempos conturbados. Esse foi o plano que Lieou Pei adotou, para se apossar do King-tcheou e passar a mão no Tch'ouan ocidental.

O peixe sempre simbolizou o povo – portanto o poder, na medida em que o pertence a quem soube angariar os favores do povo. A metáfora do homem de Estado cozinheiro, que sabe fritar o peixe miúdo do povo na vasta frigideira do Estado, ainda é famosa: "Governa-se um grande Estado como se frita um pequeno peixe", disse *Lao-tsé*. E mais: "As armas do poder não se mostram. Os peixes não devem abandonar os abissais". Duas sentenças que, de resto, foram glosadas por esse profundo pensador das estratégias da dominação que foi Han Fei. O segundo versículo é comentado da seguinte maneira:

"Grande é o peso do poder; abismo sem fundo do senhor dos homens; tão grande é o peso do poder que, quando se perde no meio dos homens, jamais retorna ao seu dono. O duque Kien deixou que escapasse para as mãos de T'ien Tch'eng; o duque de Tsin perdeu-o para seis altos dignitários, e a vida e o país lhes foram roubados. É por isso que se diz: 'O peixe não deve fugir dos abissais'."

A comparação vem naturalmente ao pincel dos compiladores do *Houai-nan-tseu*, no capítulo dedicado à arte do governo, tão logo se aborda a administração do povo:

"Os responsáveis pelo governo, longe de tentar voltar para o caminho direito, abandonam o essencial em favor do acessório. Restringem as recompensas e multiplicam as condenações, acreditando que assim estão restaurando a ordem, sem se dar conta de que isso é tão quimérico quanto querer atrair um pássaro girando uma funda ou tentar se aproximar de um cão agitando um porrete! Eles só conseguem atiçar a desordem. Os peixes sufocam na água turba, o povo se agita sob um regime opressivo."

Essa é a razão por que a pesca, em todas as suas formas, mas muito particularmente a pesca de linha, é um dos tropos privilegiados da retórica política. Um dos textos fundadores da estratégia chinesa, os *Seis arcanos*, começa com uma longa lição sobre a pesca, dada por um sábio oculto que, a pretexto de ensinar ao seu régio interlocutor, o príncipe T'ang, como fisgar um peixe, faz alusão à maneira de agarrar um império na ponta da linha:

"Sentado entre os juncos, um velho homem pescava.

O rei, depois de saudá-lo, perguntou:

– O senhor gosta de pescar?

– O homem de bem alegra-se com seus projetos, o homem de pouco, com suas ocupações. Se hoje eu pesco, não é para tirar um prazer daí, mas é por causa da sua carga metafórica.

– O que quer dizer com isso?

– Um bom pescador recorre a três técnicas que lembram: a primeira, a isca das prebendas; a segunda, o sacrifício dos súditos; e a terceira, a atribuição das funções. Sim, na medida em que visa a fisgar o peixe, a pesca contém implicações ocultas que permitem abarcar as matérias mais elevadas.

– Poderia explicá-las?

[...]

– Pega-se o peixe miúdo com uma linha fina e uma isca visível; o peixe médio com uma linha proporcional e uma isca apetecível; e o peixe graúdo com uma linha grossa e uma isca grande. Os peixes são pegos com iscas; os homens se ganham com prebendas. A isca permite que se coma o peixe; as prebendas, que se usem os homens; o dom de um domínio, que se tome um país; a promessa de um reino, que se pegue o império em suas redes. Infelizmente, as empreitadas mais prósperas, as linhagens mais prolíferas são fadadas à extinção. Só o que não manifesta seu esplendor brilhará de uma glória duradoura. Misteriosa é a influência do santo! Ele que, graças ao alcance de sua visão, é capaz de manipular os seres. Fonte de felicidade infinita são os pensamentos do santo! Fazem com que todos se voltem para ele. Ele estabelece as praças e reúne os corações."

A sentença "o grande homem mete-se na cama ao anoitecer" é uma citação do comentário simbólico do hexagrama 17, *Souei*, "Seguir". O sentido, no contexto do estratagema, permanece no mínimo enigmático. Mas a verdade é que a própria fórmula oracular não deixou de suscitar uma infinidade de conjecturas por parte dos exegetas – isso quando não os mergulhou nos abismos da perplexidade. No entanto, a composição da figura e o comentário do julgamento oracular deveriam nos pôr na pista. O hexagrama é formado do "Trovão" abaixo do "Lago". Assim, o trigrama par, feminino, que simboliza o yin, o flexível e o subalterno estão acima de um trigrama masculino, emblema do duro, do masculino e do mestre. Por outro lado, se considerarmos o conjunto da figura, esta se destaca pela presença de uma linha ímpar, masculina, na posição inferior, marcando o retorno do yang, enquanto a linha dura na quinta posição, que controla toda a estrutura por causa de sua situação central, encontra-se abaixo de uma linha feminina. Daí a constatação do comentário: "Seguir: o duro apresenta-se e coloca-se abaixo do mole", e como o Trovão tem como atributo o movimento e o Lago, a alegria, o texto pode prosseguir do seguinte modo: "Com esse movimento, ele proporciona tanto prazer e tão bem que carrega os outros com ele", antes de concluir: " 'Grande sucesso e perseverança sem culpa', tanto que o império todo o segue; eis por que seguir o bom momento é da mais alta importância."

A interpretação da imagem "Trovão aprisionado no centro do Lago: esse é o hexagrama "Seguir". Conformando-se ao seu ensinamento, o Grande homem mete-se na cama ao anoitecer", acompanha o prolongamento do comentário do julgamento sobre a configuração do símbolo, ao mesmo tempo em que dá a ele uma dimensão calendárica, isto é, ela o reintroduz não mais no quadro da sociedade, mas no quadro do ciclo da natureza, cujo ritmo o grande homem deve seguir. O hexagrama evoca esse momento do tempo em que o trovão, acompanhando a ciranda das estações, descansa no centro das águas, do mesmo modo que os trigramas *Tchen* e *Touei*, sendo destacados para leste e para oeste respectivamente, se separaram um do outro durante o intervalo de uma noite. Como os dois trigramas nucleares superior e inferior gerados pelo hexagrama são respectivamente *Souen*, o Vento – que também significa "entrar" – e *Ken*, a Montanha – que conota imobilidade ou repouso –, é sugerida aqui a cena do homem precavido que, respeitoso da ordem das coisas, se retira para seus aposentos quando o sol declina no horizonte.

Foi provavelmente essa constelação de associações diversas, mas convergentes, que incitou o autor a escolher a fórmula do hexagrama *Souei* para emblema do estratagema, embora, à primeira vista, não exista nada em comum entre os dois. De fato, tanto o estratagema quanto o comentário do julgamento se apóiam no princípio de que sempre convém se dobrar às circunstâncias e agir em função do momento histórico. Isso significa concretamente, no plano da ação prática, que em situações conturbadas ("ao anoitecer") é preciso saber se pôr a serviço de outrem e até dobrar a espinha, do mesmo modo que o yang se coloca sob o yin, para, em seguida, por uma atitude maleável e oportunista, ganhar os votos do populacho e, uma vez fisgado o peixe do povo, tomar o lugar daquele a quem se servia e se apoderar das rédeas do governo – essas armas do poder - que não devem absolutamente se mostrar, do contrário escapam das mãos do imprudente que as exibiu diante dos olhos do outro, do mesmo modo que os pequenos peixes irrequietos correm um sério risco de acabar na panela, tão logo se aventuram pela superfície, o que, infalivelmente, ocorre quando, para retomarmos a imagem do *Houai-nan-tseu*, são sufocados pelas águas turbas.

O procedimento vale muito mais para as aplicações políticas que para as militares, que são bastante limitadas. Estas se reduzem a tirar proveito de circunstâncias climáticas imprevistas ou então de uma confusão súbita e inesperada no campo adversário, enquanto tempos incertos e períodos caóticos fornecem as circunstâncias ideais para a carreira de um ambicioso. É o que exprime de maneira muito enfática este parágrafo da enciclopédia cosmológico-filosófica compilada sob o patrocínio do primeiro-ministro do Ts'in, Liu Pou-wei, por volta do ano 240 a.C. e inteiramente dedicada a essa questão:

"Cavalos famintos permanecem tranqüilos nos estábulos enquanto não vêm a forragem; cães famintos permanecem quietos nos canis enquanto um osso não lhes é apresentado. Mas assim que agitamos diante deles a forragem ou o osso, eles se exaltam. O mesmo ocorre com o povo. Em tempos conturbados, ele é amorfo enquanto não vê o homem providencial. Contudo, uma vez que o vislumbra, corre à frente dele sem que nada possa detê-lo. Pois o que se precipita na direção do santo não é o corpo, mas a alma.

O país de Ts'i havia provocado desaprovação no império porque se arrogou o título de imperador do Leste. O país de Lou aproveitou para tomar dele as terras de Hsiu-tcheou. No momento em que a cidade de Hantan se encontrava sitiada, depois que o Tchao anexou Cheou-ling, o Wei passou a mão no feudo da família Kien. Apesar de sua fraqueza, o Lou e o Wei puderam realizar suas ambições à custa de países infinitamente mais poderosos porque souberam agarrar a ocasião propícia. É por isso que todo homem de talento deseja que o povo seja mergulhado na desgraça para ter ocasião de exibir suas capacidades."

Mas deixemos que fale um desses pescadores de poder e de prebendas que sabem que não há melhor terreno de pesca que as águas turbas. Antes de iniciar sua carreira política, Li Si, futuro primeiro-ministro de Ts'in Chehouang ti, o unificador da China, ao despedir-se de seu mestre confucionista Hsiun-tseu, declarou com seu cinismo habitual:

"Ouvi dizer que é preciso saber agarrar a ocasião. Você conhece a situação política: os grandes Estados estão dilacerando uns aos outros. Perspectivas inesperadas se abrem diante de vagabundos de toda espécie e de todos os cantos. O Ts'in se prepara para enrolar debaixo do braço toda a Terra sob o Céu como se fosse uma esteira, e não duvido que chegue aos seus fins. Está ha hora de os ambiciosos se apressarem, porque os retores itinerantes estão vivendo seus últimos lindos dias. Os que se contentam com sua sorte sem tentar galgar os escalões do poder não passam de animais com feições humanas, mais distantes da verdadeira humanidade que os orangotangos, pois não conheço vergonha maior que viver entre a plebe nem desgraça mais terrível que ser pobre."

金蝉脱壳

JIN CHAN TUO KE

VIGÉSIMO PRIMEIRO ESTRATAGEMA

Desfazer-se da casca como a cigarra de asas de ouro

A forma permanece, o poder continua inteiro. O aliado deslumbra-se, o inimigo é mantido à distância segundo a máxima: "Maleável, porém firme, assim se resolvem os negócios".

Comentário:

Trava-se um ataque conjunto contra um inimigo com um aliado. Observa-se a situação; se outra ameaça adversa sobrevém, é necessário que se possa abandonar o teatro das operações, preservando a aparência de poder. Assim, a tática da cigarra que se desfaz de sua casca não consiste simplesmente em se deslocar, mas em se multiplicar. Enquanto o grosso de minhas forças se movimenta, as bandeiras e os estandartes, os tambores e os sinos dão a impressão do mesmo dispositivo imponente de antes, tanto que as tropas aliadas não suspeitam de nada e o inimigo não se atreve a empreender alguma coisa. E é só quando meus contingentes retornam, depois de repelir o outro adversário, que tanto o aliado quanto o inimigo percebem que foram ludibriados – a menos que continuem sem saber de nada. Desfazer-se da casca como a cigarra não significa nada além de, diante dos regimentos adversos, desviar as tropas de elite do campo de operações a fim de atacar outro inimigo.

Desde sempre, a muda da cigarra fez os filósofos sonharem. O *Tchuang-tseu* contém um trecho admirável, em que o tema serve de isca para uma reflexão sobre a não-permanência do ser e de suas conturbadas relações com o não-ser:

"Evanescência das Imagens perguntou à sombra:

– Ainda há pouco você estava em movimento e agora está parada. Ainda há pouco você estava com o cabelo preso e agora está com ele solto. Ainda há pouco você estava sentada e agora está em pé. Ainda há pouco você se deslocava e agora se mantém imóvel. Como é que você pode não ter uma postura fixa?

– Para que todas essas perguntas fúteis? – respondeu a sombra. – Eu sou assim sem saber por quê. Sou a pele da serpente, a muda da cigarra. Pareço ser, mas não sou. Há fogo, há sol e eu existo. Basta a cobertura de uma árvore, o cair da noite, para que eu desapareça. Não é deles de que dependo em parte? O que dizer então daquele de que dependo inteiramente? Ele vem e eu venho com ele; ele se vai e eu vou com ele. Ele se move sem parar e eu me movo com ele. Como posso me interrogar sobre o que se mexe sem parar?"

Se usei a palavra sonhar a respeito da muda da cigarra não foi por simples facilidade de linguagem: o verbo deve ser tomado no sentido literal. O tema mantém relações estreitas com o sonho – ao menos com os de outros insetos alados, como as borboletas, por exemplo. De fato, logo em seguida a esse diálogo, vem a famosa passagem sobre o sonho de Tchouang Tcheou e da borboleta que encerra o "Discurso sobre a identidade das coisas", o mais denso dos capítulos e o que dá a chave enigmática da obra toda. É claro que, no ditado que serve de rubrica para o vigésimo primeiro estratagema, trata-se apenas de uma fórmula poética para descrever o procedimento que consiste em pregar uma peça no adversário, deixando-o diante de uma forma oca, enquanto o poder real está longe dali, do mesmo modo que a cigarra na muda abandona uma casca completamente oca. No entanto, em razão da carga metafórica contida no título, o estratagema tem ressonâncias políticas muito mais profundas e mais importantes que um simples expediente militar e tático, nem que seja por inaugurar uma reflexão que diz respeito ao ser e ao parecer, à realidade e à ilusão.

O hexagrama 18 é o negativo daquele que o precede, "Seguir", que por sua vez servia de chave numerológica para a compreensão íntima do estratagema anterior. Diferentemente dos inversos, obtidos pela inversão das figuras, um negativo é o resultado da mutação de cada linha em seu contrário. Chamado *K'ou*, termo de múltiplas acepções (deterioração, negócio, reparação), seu significado é complexo e a razão por que a escolha do autor recaiu sobre ele como emblema do estratagema 21 não é muito clara. *K'ou*, "Atividade" e às vezes "Trabalho do e sobre o negativo", é formado pela "Montanha", trigrama duro, masculino, acima do "Vento", par, feminino e mole. Como o vento tem como atributo a docilidade, a modéstia e a suavidade, enquanto à Montanha é atribuída à imobilidade ou à parada, o comentário do julgamento, do qual o compilador dos *36 estratagemas* cita apenas um fragmento de frase, pode decretar: "O duro está acima, o maleável está abaixo; maleável, porém firme, assim se resolvem os negócios". Essa fórmula, ao menos na mente do redator do comentário do texto divinatório, aplica-se ao soberano que, de cima, sabe comandar seus súditos, e, de baixo, se dobra à sua autoridade, porque conduz os negócios com maleabilidade, mas também com firmeza. Todavia, a expressão chinesa *hsiun eul tcheu, k'ou* – traduzida por "maleável, porém firme, assim se resolvem os negócios" – pode ser compreendida de inúmeras maneiras. E, entre outras, por "embora maleável, ele pára: essa é sua tarefa". É provavelmente esse halo vago de conotações diversas e complementares que o compilador dos estratagemas tinha em mente. Ele pretendia dar conta da ação reguladora exercida em circunstâncias delicadas (*k'ou* também significa corrupção, veneno) por meio de uma atitude maleável, porém firme, e ao mesmo tempo da situação concreta da casca, oca e sem consistência, livre de seu conteúdo, que, no entanto, é suficiente para deter as tropas adversas e permite a realização da operação que, por outro lado, é definida pelo julgamento oracular como uma viagem: "Resolução de negócios: grande e belo sucesso; é proveitoso atravessar um grande rio, porém é necessário que isso seja feito nos três dias anteriores ou nos três dias posteriores a um dia *kia*".

Se interpretarmos o estratagema em termos estritamente militares, sua melhor aplicação é, sem dúvida nenhuma, o ardil planejado por Luz da Razão na véspera de morrer para encobrir a retirada de suas tropas, já em posição difícil. Enquanto o grosso do exército já havia se retirado, um regimento de retaguarda, comandado por uma efígie de madeira do estrategista surgido bruscamente do meio do matagal, fez os perseguidores – que até então estavam convencidos de sua morte – acreditar que se tratava de um simples boato destinado a encobrir alguma impostura diabólica, tanto que um vento de pânico se apoderou do adversário. Os soldados dos generais se livraram de suas armas e de suas couraças e desataram a correr como lebres na mais terrível confusão.

O subterfúgio tem tudo de um ardil de bandidos ou assassinos; e essa é a razão também por que os autores dos romances policiais o põem tantas vezes em cena em suas obras – matéria em que Agatha Christie é uma mestra insuperável. Ele intervém de uma maneira ou de outra em quase todas as intrigas da autora, na forma de dissimulações, disfarces e engodos – formas humanas e socializadas da muda da cigarra. A obra em que atinge seu ponto de mais alta perfeição é incontestavelmente *Hotel Bertram*. O Bertram é a caverna de Platão. Esse discreto hotel de luxo no coração de Londres apresenta aos turistas maravilhados o espetáculo imutável da beleza (sob a forma do *cosy* inglês, entenda-se bem). Miss Marple, que tem o privilégio de passar uma semana entre as paredes dessa instituição venerável graças à generosidade de uma sobrinha, assiste, como observadora crítica, ao espetáculo enganoso oferecido pelo hotel. Primeiro, ela se deixa levar pela ilusão. Mas, logo, sua mente é alertada por detalhes e, uma coisa levando a outra, após uma série de incidentes diversos – ocorrem um ou dois pequenos assassinatos –, ela será conduzida à descoberta da Verdade. O hotel Bertram inteiro é uma mentira. Ou melhor, uma concha vazia – uma muda de cigarra de asas de ouro –, um despojo inerte e sem vida destinado a pregar peças num público que ignora tudo da autenticidade das coisas, à maneira dos espectadores enganados da caverna. Enquanto isso, o corpo do verdadeiro inseto, inflado de forças vivas e de energias, isto é, o que no mundo moderno se chama de capitais e de ações, opera longe dali, mergulhado em toda espécie de operações tão suspeitas quanto lucrativas. Longe de ser um local fora do tempo, um templo onde o puro espírito inglês se conservou em sua integridade, o hotel foi atacado por forças do mal para as quais ele serve de anteparo. Em resumo, é um cenário pintado, mas terrivelmente semelhante. Tudo ali é engodo, embora tudo seja autêntico: *gellies*, *scones* e *muffins*. Os verdadeiros proprietários – uma sociedade multinacional dirigida provavelmente por banqueiros judeus – se aplicaram em montar uma reconstituição verdadeira, de modo que até os ocupantes são falsos: velhos coronéis aposentados, criadas, *butlers* e lordes são apenas figurantes postos ali para dar a impressão de um ambiente *british*.

A investigação de Miss Marple, que é uma verdadeira busca filosófica graças à qual o leitor escapa do mundo das aparências e alcança as formas verdadeiras, revela que a autenticidade nunca está no aspecto das coisas. Assim, por intermédio de Miss Marple, Agatha Christie nos fornece os meios de desvendar as armadilhas falaciosas construídas segundo o modelo da muda da cigarra de asas de ouro, quer sejam obra de banqueiros do Levante, quer de estrategistas chineses, e isso porque Agatha Christie entendeu Platão. É claro que essa influência platônica que se esboça em filigranas em todos os seus livros não se deu diretamente por Platão, mas pela intermediação de Chesterton, um autor inglês do qual a romancista era admiradora fervorosa. Todo o universo romanesco de Chesterton, fortemente influenciado pelo neoplatonismo, funciona em cima da queda das aparências e da inversão dos reflexos especulares entre verdade e mentira. Em *O poeta e os lunáticos*, o herói Gabriel Gale se vira de cabeça para baixo para ver o mundo direito, já que ele está às avessas. Ele, de quem todos duvidam da razão, é enfermeiro de um louco e liberta a amada que havia sido presa por médicos criminosos num asilo de alienados. Não resta dúvida de que o asilo de Chesterton, onde o verdadeiro e o falso inverteram seus papéis, assim como os loucos e os sadios de espírito trocaram de lugar, foi o protótipo do hotel Bertram.

Ao invés de se entregar a marchas e contramarchas contra algo que nunca será mais do que bonecos de madeira, despojos esvaziados de qualquer substância, falsificação miserável de uma realidade inexistente, pela qual seremos eternamente ludibriados, não seria melhor tirar partido da dimensão metafísica subjacente ao estratagema e ver aí as afinidades profundas com a lição desse grande romance chinês que é *O sonho no pavilhão vermelho*, monumento da ciência estratégica, se é que há alguma? Já no prólogo, o autor Ts'ao Hsiue-ts'in denuncia a natureza ilusória do real nestas duas sentenças simétricas: "Quando se toma o falso pelo verdadeiro, o verdadeiro é falso, por sua vez; se do nada se faz o ser, o ser retorna ao nada". Facticidade que ele retoma nos poemas que habitam os sonhos dos heróis nos primeiros capítulos: "Quem atravessa o espelho do real penetra pela porta do Vazio. Mas aquele que é enganado por seu reflexo bate contra ele até perder a vida. Nossa existência é um vôo de corvos que, finda a refeição, voltam à floresta, abandonando, atrás deles, a brancura infinita da neve que cobre a terra fria e pura". E, de fato, como a caverna de Platão, o asilo de alienados de Chesterton e o hotel Bertram de Agatha Christie, o palácio da Glória, onde moram os principais personagens do romance, é o lugar por excelência da mentira – em dado momento ele é chamado de "domínio da suprema vaidade" –, uma verdadeira muda de cigarra, em que o falso se faz passar constantemente pelo verdadeiro e o verdadeiro pelo falso, e de uma tal maneira que brota até do próprio sobrenome dos locatários: os Kia, cujo significado é "simulacro" ou "falsificação". E a heroína, que leva ao paroxismo o veneno da mentira que corrói todas as relações sociais, é Wang Hsi-feng, "Grande irmã fênix". Wang Hsi-feng, a verdadeira chefa da imensa família, não cansa de combinar estratagemas e urdir complôs com uma habilidade, um sangue-frio e uma imaginação que fariam Luz da Razão, Ts'ao Ts'ao e Sse-ma Yi morrer de inveja. Dotada de um *savoir-faire* diabólico, ela se dedica a fazer parecer verdadeiro o que é falso e falso o que é verdadeiro, tanto que ela mesma não é mais do que uma pura mentira.

关门捉贼
GUAN MEN ZHUO ZEI

VIGÉSIMO SEGUNDO ESTRATAGEMA

Fechar todas as saídas para prender o ladrão

Encurrala-se um inimigo pouco perigoso, como ordena a máxima do hexagrama: "Espoliação": "Não é vantajoso deixá-lo ir para longe".

Comentário:

Se fechamos as saídas para capturar um ladrão, não é por medo de que escape, mas por medo de que, escapando, caia nas mãos de outro. Além disso, se conseguir escapar, não podemos nos lançar novamente ao seu encalço, porque ele pode nos atrair para uma cilada. Deve-se entender por "ladrão" as tropas irregulares e os destacamentos móveis encarregados de nos perseguir. Como diz o *Wou-tseu*: "Se um bandido disposto a vender caro a sua pele se esconde no campo, os mil homens que seguem seu rastro avançarão com cautela, lançando olhares de lobo amedrontado para todos os lados, com medo de que o condenado apareça a qualquer momento e acabe com a raça deles". Quando um ladrão é perseguido, ele luta com suas últimas energias desde que vislumbre uma chance de escapar, mas se todas as saídas estão bloqueadas, então ele se deixa agarrar sem resistência. É por isso que se deve encurralar um ladrãozinho, ou então, se isso for impossível, deixá-lo se safar.

O hexagrama *Po*, "Espoliação", o vigésimo terceiro na ordem tradicional, é composto da Montanha repousando sobre a Terra. Mas foi, sobretudo, a relação entre as linhas que o compilador levou em consideração ao designá-lo para o estratagema. De fato, uma única linha forte deve reger cinco linhas fracas, que ameaçam destruir sua posição. É por isso que não se deve "deixá-los ir para longe" (deixar escapar os larápios que são simbolizados pelas linhas yin), se não quiser que formem bandos e acabem sendo uma ameaça séria. Mas, também, pode ser que a vaga semelhança da figura, com uma ratoeira, tenha desempenhado seu papel na escolha do hexagrama, como ilustração oracular do estratagema.

A recomendação é a recíproca do estratagema, que preconiza que não se deve pressionar demais o adversário para que este, acuado contra o muro, não combata com a energia do desespero e não reverta a situação a seu favor. Se as motivações psicológicas se inverterem (posto que é a esperança de uma saída que o fará combater até a morte), convém adotar uma estratégia oposta: bloquear todas as saídas para obter a rendição.

Em seus *Escritos de um sábio ainda desconhecido*, o letrado T'ang Tchen dá uma ilustração interessante da máxima. Ela parte de uma experiência vivida. As tropas da prefeitura de P'i cercaram meia dúzia de bandidos. "As armas apontadas para eles", constata o pensador, "eram como as árvores de uma floresta; mesas e cofres obstruíam a entrada da viela e, no entanto, os bandidos escaparam matando aqueles que os cercavam. Por que tropas tão numerosas não conseguiram vencer alguns poucos bandidos, apesar de sua habilidade e de sua força, e não conseguiram capturá-los? É porque os que pensam em se manter em vida são covardes e os que correm o risco de morrer são cheios de coragem".

远交近攻
YUAN JIAO JIN GONG

VIGÉSIMO TERCEIRO ESTRATAGEMA

Aliar-se a um país distante, atacar seu vizinho

Quando a situação oferece apenas um campo de ação restrito e o poder é limitado, é aconselhado apoderar-se dos territórios dos vizinhos; é desaconselhado tentar uma aventura distante, como indica a configuração "Fogo acima, Lago abaixo".

Comentário:

Numa época de caos, quando as alianças e os acordos se atam e se desatam, é natural que cada um procure tirar proveito disso. Se expedições contra potências distantes são arriscadas, é vantajoso estabelecer alianças com elas; em compensação, estabelecer acordos com vizinhos é expor-se a reviravoltas, que ameaçam a quilha do navio. De resto, os princípios são expostos com uma clareza notável por Fan Souei, quando pinta para o rei de Ts'in o quadro da situação geoestratégica do momento para fazê-lo aderir à sua visão.

❖❖❖

A expressão quadrissílaba que serve de rubrica para o estratagema vem da arenga de um sofista, Fan Souei, ao rei Tchao, de Ts'in. Radicalmente, oposto à política anterior, seguida pelo primeiro-ministro e príncipe de sangue, o marquês Ying-heou, ele pretendia incitá-lo a aliar-se aos principados das margens, o Ts'i e o Tch'ou, para ficar com as mãos livres para atacar os reinos vizinhos de Han e de Wei e apoderar-se de partes de seus territórios. Uma vez que passassem para o domínio do Ts'in, seria possível intimidar as grandes potências distantes.

A configuração de que se trata aqui é a do hexagrama 38, *K'ouei*, "Oposição", em que o trigrama *Li*, "Fogo", está acima e o trigrama *Touei*, "Lago", está abaixo. O julgamento "Oposição: favorável nas pequenas empreitadas" é explicitado do seguinte modo pelo comentário: "O Fogo se ergue para o alto, o Lago se move para baixo. Quando duas moças vivem sob o mesmo teto, elas não podem se entender". A primeira parte da frase dá conta da posição dos dois trigramas que marcam a disjunção: a água, já situada abaixo, escorre para baixo, e o fogo, acima, aponta suas chamas para o alto; o movimento deles é divergente. Por outro lado, no código das relações de parentesco, os dois trigramas *Li* e *Touei*, pares e femininos, são considerados as filhas mais novas nascidas do casamento dos pais *K'ien* e *K'ouen*, Céu e Terra, Pai e Mãe. Reunidas sob o teto do mesmo hexagrama e sendo de naturezas opostas (água e fogo), elas só podem entrar em conflito. Sendo assim, a política preconizada pelo estratagema corresponde à configuração do hexagrama: não se devem empreender ações longínquas – só uma empreitada limitada é proveitosa –, e só se podem desafiar os vizinhos com os quais a configuração geopolítica veta o entendimento, como duas irmãs sob o mesmo teto.

A carreira desse Fan Souei, cuja visão o comentário antigo evoca com admiração, e os exegetas modernos citam à porfia, típica desses retores itinerantes da época dos Reinos Combatentes. Parece-se tanto com a de Sou Ts'in, que temos a impressão de que se trata de um decalque. Acusado injustamente de inteligência com o inimigo pelo primeiro-ministro do Wei, Fan Souei foi espancado violentamente pelos capangas do dignitário, jogado nas latrinas e mijado por seus familiares. Ele conseguiu fugir para o Ts'in, decidido a fazer carreira e a se vingar do Wei. No Ts'in, o primeiro-ministro, que também era irmão caçula da mãe do soberano, monopolizava o poder e conduzia a política externa não em função dos interesses da nação, mas, unicamente, em função de sua própria vantagem. Sendo assim, ele planejou uma expedição contra o Ts'i, a potência oriental que ocupava o Chan-tong, no outro extremo da China, fazendo os exércitos do Ts'in passar em pelo território dos principados amigos e vizinhos do Han e do Wei, com o intuito de aumentar seu feudo no T'ao. Fan Souei, que acalentava o sonho de derrubar o primeiro-ministro e tomar seu lugar, viu nisso uma ocasião propícia. Decidiu pagar para ver. Escreveu um requerimento ao soberano, denunciando a política do primeiro-ministro e pedindo a graça de poder expor seus planos de viva voz. A missiva foi acolhida de maneira favorável. Fan Souei foi recebido em audiência. Durante a entrevista que teve com o soberano, desenvolveu a teoria, segundo a qual um Estado deve fazer guerra contra os vizinhos e estabelecer alianças com as potências distantes. Lembrando o precedente do Ts'i, que se arruinou ao lançar expedições longínquas contra o Tch'ou sem poder aproveitar suas vitórias, anexando territórios distantes demais para manter o controle sobre eles, ele desferiu a frase: "Mais vale se aliar à distância e combater seus vizinhos, porque então toda polegada de território conquistado será polegada do Ts'in, todo pé de território conquistado será pé do Ts'in". O soberano adotou sua visão. Voltou-se contra o Wei, levou-o à resipiscência e obteve a obediência do Han. Tendo ganhado a confiança do soberano, Fan Souei, por meio de insinuações hábeis, conseguiu separar o mestre do tio primeiro-ministro e ser nomeado em seu lugar. Já com as rédeas do poder nas mãos, teve a satisfação de saciar seu desejo de vingança contra os responsáveis por sua humilhação, Hsiu Kia, o grande oficial que o denunciara injustamente, e contra o primeiro-ministro, que o tratara de maneira tão ignominiosa.

É claro que a apresentação de Fan Souei contém uma parte de verdade, como de resto todos os discursos dos retores da época, do contrário não seriam confiáveis. No entanto, é preciso tomar cuidado com o fato de que Fan Souei tenta, acima de tudo, aproveitar a tensão latente entre um ministro invasivo no poder e um soberano que gostaria de mostrar autoridade para denunciar as intenções pessoais do ministro, impor-se como defensor dos interesses maiores do Estado e tomar o comando do governo. Desse modo, as apresentações geopolíticas de Fan Souei, que vêm sustentar as tramóias de um intrigante, valem muito mais como ilustração do estratagema "pescar em águas turbas" do que como justificação para a validade teórica da política de "guerra contra os vizinhos, aliança com os países distantes". Sou Ts'in pregava uma linha de conduta inversa, que, ao crer nas fontes históricas, deu alguns frutos enquanto foi respeitada. De resto, como mostra o estratagema seguinte, veremos que existem casos em que estabelecer alianças com os vizinhos e atacar um país distante pode se mostrar compensador.

假道伐虢

JIA DAO FA GUO

VIGÉSIMO QUARTO ESTRATAGEMA

Pedir direito de passagem para atacar Kouo

O outro está preso entre duas potências; o inimigo tenta ser obedecido com ameaças; eu aproveito a situação para chegar aos meus fins, consciente de que "encurralado, não se acredita em palavras bonitas".

Comentário:

A combinação que consiste em pedir uma passagem para o uso de suas tropas requer mais do que simples discursos para engabelar o outro. É preciso que este esteja numa situação tal que corra o risco de servir de alvo para os ataques conjugados de dois adversários, em vez de ter de sofrer ameaças de apenas uma das partes para chegar à resipiscência. É nessas circunstâncias que, enquanto o inimigo exerce sua pressão com demonstrações de força, eu posso enganar minha presa, garantindo a ela que nenhum mal lhe será feito, e, aproveitando que ela acredita ter se livrado da enrascada sem muito custo, eu me torno dono da situação. Incapaz de perfilar um mínimo de tropas, eu a destruo sem nem precisar travar combate.

❖❖❖

Mais uma vez, a expressão proverbial inspira-se num acontecimento histórico, que se deu por volta da metade do século VII a.C. O país de Tsin, com o pretexto de castigar o Kouo, pediu direito de passagem para suas tropas ao pequeno principado de Yu e, na volta de uma campanha vitoriosa, conquistou-o. Um infinito número de textos antigos menciona o episódio, a começar pelo *Comentário de Tsouo aos anais das primaveras e dos outonos*, compilado por volta da metade do século IV a.C. O *Han-fei-tseu*, nos "Dez erros", fornece uma narrativa pormenorizada:

"Há muito tempo, o duque Kien, de Tsin, quis pedir ao reino de Yu o direito de passagem para suas tropas a fim de invadir o reino de Kouo. O conselheiro Hsiun Hsi indicou-lhe a política a adotar:

– Ofereça seu mais belo jade de Tch'ouei-ki e sua quadriga de K'iu em troca do direito de passagem. Ele não poderá recusar.

– O jade de Tch'ouei-ki é uma jóia de família – protestou o rei – e os cavalos de K'iu são meus melhores corcéis! Se ele aceitar o presente e recusar a entrada de minhas tropas em seu território, com que cara vou ficar?

– O príncipe de Yu nunca ousará aceitar os presentes e recusar a passagem! O senhor apenas os tirará de suas estrebarias e de seus armazéns particulares e os deixará em depósito fora daqui. Não terá o que lamentar.

O príncipe rendeu-se às suas razões. Enviou o conselheiro até o príncipe. O duque de Yu, atraído pela pedra e pelos cavalos, apressou-se em aceitar. Seu conselheiro, Kong Tche-ts'i, advertiu-o:

– Não faça isso! O Yu e o Kouo são como os dois ossos do maxilar, que se apóiam um no outro. Se o senhor deixar as tropas do Tsin passar, a queda do Yu seguirá a do Kouo. Resista à tentação!

O príncipe não lhe deu ouvidos. Concedeu o que lhe foi pedido. Hsiun Hsi atacou o Kouo e venceu-o. Três anos depois, recrutou um novo exército e, na volta do Kouo, que acabara de riscar do mapa, investiu contra o Yu e anexou-o. Tendo os cavalos seguros pela rédea numa mão e a jóia na outra, Hsiun Hsi apresentou-se ao príncipe.

– O jade não mudou – observou este –, mas os cavalos estão com os dentes mais longos!"

Todavia, a manobra tem seus perigos, como mostram numerosos exemplos históricos sobre os quais, de resto, se escora o estratagema anterior. Assim, o mesmo Han Fei, em sua *Floresta de anedotas I*, indica a maneira elegante com a qual é possível desafiar o estratagema:

"O príncipe Wen, de Wei, pediu ao rei de Tchao o direito de passagem por seu território para atacar o principado de Tchong-chan. O marquês Sou, de Tchao, estava prestes a recusar quando seu conselheiro declarou:

– Erro! Se o Wei atacar Tchong-chan sem conseguir derrotá-lo, seu exército estará esgotado e seu poder estará abalado; o enfraquecimento do Wei significa o nosso fortalecimento. Se, ao contrário, o Wei se apoderar de Tchong-chan, não poderá passar por cima de nós para controlá-lo. Portanto, seremos nós que gozaremos dos frutos que ele colheu com tanto custo. Todavia, se o senhor mostrar solicitude demais, ele compreenderá que o senhor pensa em tirar proveito da situação e adiará seus projetos. Ceda-lhe a passagem mostrando má vontade."

O compilador explicita o estratagema citando a fórmula do julgamento do hexagrama 47, *K'ouen*, "Opressão", para advertir aqueles que se sentirem tentados a pôr o estratagema em prática da ineficácia do recurso único às promessas. Mesmo encurralado, não se fia nos belos discursos. É só porque o outro, preso no abraço, receia uma intervenção direta que ele concorda com nosso pedido. E é só, então, quando ele se acha seguro de nossas intenções pacíficas, que devemos agir com decisão e rapidez se quisermos subjugá-lo sem disparar um tiro. Assim, a questão não é tanto conquistar a vitória, que de todo modo já está conquistada, mas conquistá-la com o mínimo custo. Trata-se de uma política de grande potência. Para ilustrá-la, os exegetas modernos evocam as manobras militares das forças do pacto de Varsóvia, nas florestas da Boêmia, que precederam a invasão da Checoslováquia.

Capítulo V

Estratagemas da guerra de conquista

偷梁换柱

TOU LIANG HUAN ZHU

VIGÉSIMO QUINTO ESTRATAGEMA

Retirar a viga da cumeeira e substituir a coluna de sustentação

Invertemos múltiplas vezes nossas formações, desviamos os regimentos mais aguerridos esperando até que o outro desmorone por si mesmo, para intervir segundo a tática definida pela máxima: "Travar as rodas do carro".

Comentário:

Toda formação militar é constituída de um entrecruzamento de linhas e fileiras, cujos dispositivos chamados de "a transversal celeste" e "o eixo terrestre" formam, respectivamente, a trave e a coluna para as quais são destacadas as tropas de elite. Nada além da observação do desdobrar das formações de um exército já permite localizar as tropas de choque. Quando nos encontramos combatendo um inimigo comum com um aliado temporário, pode mostrar-se útil proceder a várias modificações do dispositivo de combate a fim de alterar a disposição dos melhores homens do aliado ou então substituí-los por nossas próprias tropas de elite como trave e coluna. Uma vez realizada a operação, é a infra-estrutura do dispositivo aliado que desmorona em sua totalidade, de modo que podemos passar todo o exército dele para o nosso comando. Esse é um excelente estratagema, que nos permite desafiar o inimigo apropriando-nos das forças de um rival potencial.

⁂

A fórmula de que se serve o autor para fornecer a transcrição do estratagema em termos hexagramáticos remete por duas vezes ao *I Ching*: ela é aplicada ao nove na primeira posição do hexagrama 63, *Ki-tsi*, "Conclusão" e ao nove na segunda posição do hexagrama 64, *Wei-tsi*, "Inconclusão", sendo as duas figuras negativos inversos. Todavia, não parece que o autor tenha levado em conta o significado dos símbolos; ele se apegou, sobretudo, às conotações da fórmula que sugerem entrave, bloqueio. Trata-se de enguiçar a mecânica aliada, desviando de suas posições-chave os regimentos de elite.

A aplicação do estratagema no campo da guerra é bastante limitada; em compensação, ele tem um dos usos mais fecundos nas esferas policial, política, econômica e social.

"Retirar a viga da cumeeira e substituir a coluna de sustentação" não é nada mais do que a enunciação imagética da técnica da introdução e da infiltração. Os partidos comunistas notabilizaram-se particularmente nessa prática, tirando a substância das organizações populares – fossem elas sindicatos, associações culturais ou educativas, grupos feministas ou antifascista – para transformá-las em instrumentos dóceis de sua política. Mas as oficinas da polícia secreta não ficaram atrás. O grupo Petrachevski, o famoso núcleo de agitadores russos ao qual pertencia Dostoievski, tinha sido infiltrado pelos serviços czaristas. Pouco depois, na virada do século XIX, Asev, o principal líder da Organização de combate, uma emanação do Partido dos Revolucionários Sociais, revelou ser um agente da Okhrana, a polícia secreta czarista. Infiltrado no nível mais alto do grupo, ele causou danos consideráveis aos revolucionários, não só tornando-se responsável pela eliminação física destes, mas derribando-os moralmente, em primeiro lugar pela desconfiança generalizada, que se estabeleceu entre os membros do círculo quando foi verificado que havia um espião infiltrado e, em segundo lugar, pela revelação da traição de um de seus mais altos dirigentes. Mas, como toda organização secreta pratica a infiltração, não é certeza que Asev não tenha sido também, ao menos aos seus próprios olhos, um militante revolucionário infiltrado nos serviços czaristas. Hans Magnus Enzensberger, que redigiu um livrinho sobre esses "sonhadores do absoluto" que foram os terroristas daqueles tempos, escreveu a esse respeito: "O mistério desse personagem nunca será elucidado. Ele é de uma estatura luciferiana. O menor dos gestos de Asev é de uma ambigüidade vertiginosa. Não só ele traiu os revolucionários, como traiu ao mesmo tempo o governo em favor dos revolucionários. Não só foi membro do Partido dos Revolucionários Sociais, como foi um dos terroristas mais capazes e mais radicais de sua época. Preparou e organizou uma série interminável de atentados [...]. Essa lista fantástica mostra que Asev nunca foi um instrumento nas mãos dos chefes da polícia secreta." Asev, segundo Enzensberger, não era instrumento de ninguém, muito pelo contrário, ele usava os outros como instrumento próprio e, assim, encontrou nas duas organizações secretas, a terrorista e a policial, que em muitos pontos funcionavam segundo o mesmo modelo, o quadro ideal que permitia que ele experimentasse a liberdade absoluta, arriscando sua vida a cada instante e tornando-se dono da vida dos outros. No entanto, do mesmo modo que a organização revolucionária perseguia objetivos autônomos, que não coincidiam com os do proletariado, os da própria Okhrana diferiam dos objetivos do poder que a criara e a utilizava. Em suma, ela havia escapado ao controle de seus mestres. Pretendia, acima de tudo, perpetuar a própria existência, que em última instância dependia da existência do movimento revolucionário. Sem ele, com efeito, ela perdia qualquer utilidade, de modo que, por força das circunstâncias, ela se tornou a principal interessada na perpetuação das conspirações, dos complôs, dos atentados e, portanto, da perenidade das organizações terroristas. Viu-se na obrigação de representar o papel da subversão e, ao mesmo tempo, o dos órgãos de controle estatal que punham fim à subversão, o da mão que fere e o da mão que supostamente cura as feridas, a ilustração mais perfeita da máxima: "Retirar a viga da cumeeira e substituir a coluna de sustentação".

O romance de Chesterton, *O denominado Quinta-feira*, leva a contradição ao paroxismo e dá a ela sua verdadeira dimensão metafísica. Quinta-feira, agente dos serviços secretos britânicos, infiltrado num sistema internacional anarquista, cujos responsáveis usam os nomes dos dias da semana, deve desmascarar o perigoso líder terrorista que, com o nome de Domingo, dá as cartas nos complôs revolucionários que se tramam nos cinco continentes e programa os atentados que semeiam o terror e a desolação nos círculos dirigentes do planeta. O agente britânico tem muitas surpresas. Primeiro, descobre que os cinco dias da semana companheiros seus são, como ele, espiões infiltrados a serviço das principais grandes potências; em seguida, verifica-se que o misterioso Domingo, o cérebro da organização procurado por todas as polícias, é o diretor da Scotland Yard, de modo que a organização terrorista é a emanação mais pura dos órgãos de segurança estatais; e, para completar, ele terá a revelação de que isso é apenas uma cobertura. Domingo, o chefe dos serviços secretos de Sua Majestade, não é outro senão Deus em pessoa. Numa apoteose final, Domingo incha, incha, transforma-se em balão e desaparece no espaço. A moral da fábula de Chesterton é, sem dúvida, que a luta entre a subversão e a ordem é apenas um pálido reflexo da luta entre o Bem e o Mal. Porém, ela implica, sobretudo, que o Mal está em Deus e que, portanto, ele faz parte do Bem, na medida em que Deus, tendo o domínio estratégico total do criável e do incriável, só pode ter subvertido e infiltrado tanto seus aliados como seus inimigos, segundo a boa e velha técnica dos estrategistas chineses que consiste em "retirar a viga da cumeeira e substituir a coluna de sustentação". Mas se o céu, como podemos supor, com justiça, é só um reflexo do mundo terreno, então Domingo, e, portanto, Deus, deve ser visto como uma alegoria do Estado em sua essência ou em seu devir-mundo, que se resume na aspiração à totalidade. Maurice Joly, num panfleto contra o Segundo Império, no qual deu a forma de diálogo entre Montesquieu e Maquiavel, põe na boca do florentino as seguintes palavras para descrever os meios de sujeição das multidões pelos grandes Estados industriais:

"Hoje, trata-se menos de violentar os homens que desarmá-los, reprimir suas paixões políticas que suprimi-las, combater seus instintos que enganá-los, condenar suas idéias que lhes pregar uma peça apropriando-se delas [...]. Serão do meu partido sem o saber. Os que crêem falar sua própria linguagem falarão a minha; os que crêem agitar seu próprio partido agitarão o meu; os que crêem marchar sob sua própria bandeira marcharão sob a minha."

指桑骂槐
ZHI SANG MA HUAI

VIGÉSIMO SEXTO ESTRATAGEMA

Apontar a amoreira para repreender a sófora

Quando um superior exerce recentemente sua autoridade sobre subalternos, ele só poderá dirigi-los amedrontando-os, à imagem "do duro que, ocupando a posição central, obtém aquiescência e, agindo com severidade, é obedecido".

Comentário:

Quando se está diante do inimigo com tropas renitentes sob seu comando, o chicote não as fará avançar e a promessa de recompensas só fará aumentar a desconfiança. Num caso como esse, convém fazer com que um erro seja cometido para que se possa acusar alguém, com o intuito secreto de amedrontar o resto das tropas. Elas são atemorizadas apenas para que possam ser dirigidas. Essa é uma maneira de coagir os homens a avançar, mostrando-se inflexível e rigoroso.

Para alguns, o procedimento vale, sobretudo, para os oficiais recém-promovidos.

❖❖❖

A expressão é glosada por alguns como sinônimo de locuções proverbiais como: "matar o frango para meter medo no macaco", "apontar o cão para repreender o galo", "bater o mato para desentocar a cobra" etc.

O hexagrama 7, *Cheu*, "Exército", cujo comentário do julgamento o compilador cita interpretando-o à sua maneira para que case com o estratagema, destaca-se por uma estrutura absolutamente singular. Ele oferece uma única linha forte, masculina, que ocupa a posição central do primeiro trigrama ("Fosso") e evoca o grande chefe de guerra que dirige sozinho, a partir do quadrado central, a massa de soldados (as linhas yin) que responde ao seu comando. Por outro lado, por ser composto pelo trigrama do Fosso abaixo do trigrama da Terra, em que o primeiro significa os desfiladeiros e as passagens perigosas e o segundo, a maleabilidade e a obediência, ele é perfeitamente indicado para simbolizar a atividade militar que exige que se enfrente o perigo e se dobre às circunstâncias.

Wang Fou-tcheu, o grande filósofo e historiador do final dos Ming, glosa o fragmento de uma sentença explicativa citada pelo comentário da seguinte maneira: "O yang na segunda linha é firme e central; está em correspondência com o yin na quinta posição. Goza da confiança e da responsabilidade que lhe concede seu superior. O traço na segunda posição vai ao encontro do perigo e se dobra ao seu superior. Essa é a lógica da grande obediência...".

O autor dos *36 estratagemas* dá à expressão um sentido diferente daquele que lhe empresta a maioria dos comentadores, já que a palavra *hsien*, "desfiladeiro", "passagem difícil", e no sentido figurado "perigo", "dificuldade", também tem o sentido de "severidade", "disciplina". De fato, em muitos textos antigos, a lei é comparada a um desfiladeiro ou falésia abrupta. Assim, encontramos em Han Fei, em suas *Charadas interiores I*, o seguinte desenvolvimento:

"Tong Ngan-yu, quando era prefeito da comendadoria das Terras Superiores do principado do Tchao, durante um passeio nas montanhas de Che-yi, chegou a um precipício vertiginoso, fechado por paredões verticais e de uma profundidade de mais de cem toesas.

– Alguém já penetrou nesse despenhadeiro?

– Não – responderam-lhe.

– Nem mesmo crianças, cegos, idiotas ou loucos? – insistiu.

– Não, nem isso.

– E bois, cavalos, cães ou porcos?

– Não, nunca.

Tong Yen-yu soltou um suspiro enlevado:

– Então, é possível garantir a ordem! Basta instaurar uma lei implacável que expõe a uma morte tão certa quanto esse abismo sem fundo e ninguém ousará enfrentá-la. Como não reinaria a ordem."

Do mesmo modo, a palavra *chouen*, "docilidade", "obediência", "faculdade de se dobrar às circunstâncias", "maleabilidade", pode tanto remeter à atitude do general diante das contingências da campanha quanto às reações dos soldados diante da disciplina férrea que o superior sabe impor.

Assim, mais do que um ardil de guerra que visa a levar a melhor sobre o adversário, trata-se de uma técnica que permite tomar ascendência sobre seus próprios homens, porque é bem verdade que a guerra é ganha essencialmente no *front* interno, quando se vence em primeiro lugar a si mesmo; em segundo lugar, os homens e, por último, o inimigo. Os teóricos da ordem totalitária, tais como Chang Yang, Han Fei e Li Si, estenderam-se longamente sobre essa matéria. Assim, é de Chang Yang esta bela fórmula: "Governar é destruir: destruir os parasitas, destruir suas próprias forças, destruir o inimigo". Mas a questão da disciplina não é alheia às preocupações dos estrategistas. Desde a época dos Reinos Combatentes, uma vez que a guerra passou de cavalheiresca a de massa, o bom general deve, em primeiro lugar, se assegurar da obediência de uma multidão de camponeses, que, diante do inimigo, só pensa em passar sebo nas canelas e voltar para casa. Obviamente o *Sun-tzu* aborda essa questão em diversas ocasiões, mas *A arte do comando*, do comandante Leao, é inteiramente dedicada a ela. Citaremos apenas um trecho curto do capítulo VIII, "Os objetivos da guerra":

"Recompensas e castigos fornecem o meio de inculcar a disciplina militar. Se a morte de um indivíduo pode inspirar um temor salutar nos três corpos do exército, então não se deve hesitar em castigar; se, recompensando um único homem, se causa alegria em todos, então não se deve hesitar em lhe dar uma gratificação. Quando se castiga, o gesto terá tanto mais efeito quanto mais elevada for a patente daquele que foi morto; quando se recompensa, o exemplo será tanto mais estimulante quanto mais humilde for a posição daquele que foi gratificado. Se um homem merece a morte, convém executar a sentença sejam quais forem sua patente e sua dignidade, pois os castigos devem atingir até o topo da hierarquia; inversamente, as recompensas devem coroar até os cavalariços e os palafreneiros, se forem dignos delas, pois as recompensas devem descer até as classes mais baixas. Punir os mais nobres, recompensar os mais humildes: essa é a prerrogativa do general-em-chefe que dá a ele seu prestígio militar. Essa é a razão pela qual o mestre dos homens tem tanta consideração por essa função."

Do mesmo modo, um dos meios de se obter a obediência dos homens é intimidá-los pelo espetáculo de um castigo exemplar. A biografia de Sun Tzu, como é relatada pelas *Memórias históricas* de Sse-ma Ts'ien, resume-se à maneira como ele obteve o comando dos exércitos do príncipe de Wou manipulando as mulheres do gineceu real. Para isso, bastou que decapitasse as duas favoritas do rei, que ele havia instituído como responsáveis pelas duas seções em que havia dividido as cento e oitenta esposas selecionadas.

O comentário da explicação dos *36 estratagemas* vai mais longe. Quando um exército é renitente, ele preconiza que se provoque conscientemente uma quebra de disciplina, para que se possa fazer disso um exemplo e obter a submissão dos homens. Ts'ao Ts'ao recorre a esse tipo de expediente não para ser obedecido por seus soldados, mas para aterrorizar seu séquito e desencorajar qualquer tentativa de atentado. Ele fez um acordo com um criado um tanto simplório, mas em quem tinha plena confiança; pediu-lhe que se prestasse a uma representação, que lhe valeria não só o *status* de homem livre novamente, mas também uma pilha de ouro. Bastaria que se aproximasse dele munido de um punhal e ele, Ts'ao Ts'ao, fingiria tê-lo descoberto, gritaria alto, mandaria prendê-lo e pronunciaria uma sentença de morte, que, é claro, seria apenas um simulacro. O homem aceitou e tudo se passou como previsto, exceto que lhe cortaram realmente a cabeça. Como seu séquito admirava que o tivesse descoberto, Ts'ao Ts'ao explicou que possuía uma espécie de dom da segunda visão e que um aperto no coração lhe indicava qualquer pensamento hostil. Foi assim que fez reinar um temor salutar em torno de sua pessoa.

Maquiavel aborda essa questão, várias e várias vezes, em seus escritos, tanto em *O Príncipe* quanto em *Discursos sobre a primeira década de Tito Lívio*. Num capítulo de *O Príncipe* magnificamente intitulado "Daqueles que por perfídia alcançaram o principado", ele tira estas máximas admiráveis: "Podemos chamar de boa essa crueldade (se se pode dizer que existe bem no mal) que se pratica somente uma vez, por necessidade de segurança, e depois não se estende, mas se converte em proveito dos sujeitos o máximo que se pode [...]. Pois é preciso fazer todo o mal junto – a fim de que, menos tempo provando-o, ele nos pareça menos amargo – e o bem pouco a pouco, a fim de que o saboreemos melhor".

Deng Xiaoping, longe de dar mostra de cegueira e de obstinação imbecil, agiu com profunda sabedoria ao programar a matança da praça da Paz Celestial. Como estrategista precavido, ele seguiu rigorosamente os conselhos de Maquiavel ou, para exprimir a coisa em termos mais exóticos, soube fazer um uso magistral do estratagema que consiste em "apontar a amoreira para repreender a sófora". Todavia, como, a se crer no florentino, é preciso o concurso da fortuna para que a *virtù* produza seus frutos, devemos acrescentar que se a selvagem repressão de 1989 teve tanto êxito foi porque as autoridades encontraram nas vítimas seus melhores aliados. De fato, para que a aposta de Deng tivesse alguma chance de dar certo, era preciso que a mais ou menos longo termo os interesses do poder estabelecido e os interesses dos progressistas coincidissem. O que significa que tanto um como outro, ainda que não estivessem inteiramente de acordo quanto aos meios, alimentavam a mesma concepção a respeito da felicidade do povo. Uma vez que o Poder, à sua maneira um tanto brutal, tivesse realizado seus objetivos – que se resumiam no embrutecimento do maior número de pessoas pelo consumo de massa, assim como se propõe como fim último qualquer sociedade moderna digna desse nome –, os dissidentes só podiam entregar as armas: eles não tinham nada melhor para oferecer.

Enfim, o estratagema pode ter uma grande utilidade para controlar funcionários. Trata-se, nesse caso, de um procedimento caro à polícia secreta. Han Fei, em suas *Charadas interiores I*, fornece um exemplo:

"O duque Sse, de Wei, mandou um de seus espiões atravessar a fronteira municipal disfarçado de viajante. Como o aduaneiro estava criando dificuldades, o espião lhe ofereceu dinheiro, em troca disso o funcionário o deixou partir.

O duque mandou chamar o oficial e declarou:

– Um viajante passou por seu posto e o subornou para que você o deixasse passar!

Desde então, todos os funcionários do reino se encheram de temor, seguros de que nada escapava ao olhar penetrante do mestre!"

假痴不癫

JIA CHI BU DIAN

VIGÉSIMO SÉTIMO ESTRATAGEMA

Bancar o simplório, mas não o louco

Mais vale fingir-se de idiota e não fazer nada do que bancar o esperto e agir a esmo. Impávidos, não revelamos nossas motivações. "Relâmpagos e nuvens, eis a confusão primordial".

Comentário:

Finge-se idiotice ao mesmo tempo em que se mantém a lucidez e incapacidade, enquanto as circunstâncias não permitirem a ação, ou se estivermos preparados para agir um pouco mais tarde. Sse-ma Yi conseguiu se passar por gagá antes de eliminar Ts'ao Chouei. Aceitou uma roupa de mulher de Luz da Razão e mandou perguntar quais eram as ordens do soberano para poder ganhar tempo e esgotar as tropas do Chou; desse modo, alcançou muito sucesso. Já Kiang Wei atacou sete vezes a planície central, teimando numa empreitada que ele sabia que era perfeitamente impossível de acabar bem. Não é isso que se chama estupidez? Essa é a razão pela qual levou à ruína o país a que servia. *A arte da guerra* diz: "Outrora, eram considerados hábeis aqueles que sabiam vencer sem tirar proveito nem da reputação dos sábios nem da glória dos valentes". Antes de pôr em marcha as engrenagens de suas maquinações, os grandes homens de guerra permanecem imóveis e prostrados como idiotas; mas aquele que finge demência não só desvenda seus planos, como ainda por cima, agindo a esmo, atrai para si a desconfiança de seus homens. Quem finge idiotice leva a vitória; a demência traz a derrota. É por isso que se diz: "Simulando idiotice se consegue não só pregar uma peça no inimigo, mas ainda conduzir um exército". Na época Song, as populações do sul eram muito supersticiosas. Na expedição de Ti Wou-tsing contra Nong Tche-kao, quando as tropas desembocaram ao sul de Kouei-lin, o general do corpo expedicionário, fingindo de repente se entregar nas mãos dos deuses, exclamou: "A vitória não depende de nós!". Então juntou cem sapecas[10] e fez um pacto com os espíritos: "Se uma grande vitória deve ser concedida a mim, então todas as moedas cairão de face". Seu séquito tentou impedi-lo, mostrando-lhe que, se o pedido não fosse atendido, aquilo não deixaria de desferir um sério golpe no moral das tropas. Mas Wou-tsing se recusou a ouvi-los. Com os olhos dos homens fitos nele, ele lançou as moedas no ar, que caíram de face. Então, centenas de milhares de braços se ergueram em sinal de vitória, enquanto um urro de alegria saído de todos os peitos fazia estremecer os campos e os bosques. Wou-tsing, exultante, virou-se para seu séquito, fez sinal para que pegassem cem pregos e fixassem as cem sapecas no lugar onde haviam caído. Em seguida, ele mesmo cobriu tudo com um lençol preto, estendendo-o com cuidado, e declarou: "Vou deixá-las aqui à espera de nosso retorno vitorioso; então banquetearei os deuses e pegarei as moedas de volta". Ao retornar com as tropas, depois de ter pacificado Yong-tcheou, ele pegou as moedas, como havia anunciado. E os oficiais de seu Estado-Maior descobriram que elas tinham duas faces!

❖❖❖

A transcrição hexagramática do estratagema é tirada da *Grande imagem* do hexagrama 3, *Tchouen* ou *Touen*, "Parto difícil", que, vindo logo depois das duas figuras primordiais do Céu e da Terra, representa o produto deles e imita o próprio movimento da cosmogênese, como enunciado pelo *Livro da via e da virtude*: "O Tao dá origem ao Um, o Um ao Dois, o Dois ao Três. Do Três saíram os Dez mil seres". Composto do trigrama "Abalo" abaixo do trigrama "Fosso", que simbolizam, respectivamente, o trovão e as nuvens, o hexagrama é uma representação da geração dos seres no conflito, na dor e na confusão, daí o nome *Tchouen*, "dificuldades iniciais", mas também "confusão". No entanto, nesse caos aparente, um princípio de ordem já opera em segredo – um princípio de ordem que o sábio consegue descobrir e que lhe permite ordenar e organizar a matéria prolífera e indistinta do real quando este surge do não-ser no ser, do mesmo modo como se desata uma meada. Daí a conclusão da explicação simbólica: "É assim que procede ao sábio, desenredando e pondo ordem". Recorrendo

---

[10] Sapeca ou sapeque era uma moeda de cobre, de baixo valor, usada no Extremo Oriente. [N. T.]

à sentença divinatória, o autor exprime a idéia de uma confusão inicial e fecunda, que à maneira do entremesclado dos sopros primordiais, sob a forma do relâmpago e da chuva, dá vida, faz prosperar todos os seres e está na origem de todas as empreitadas.

Lao-tsé foi o primeiro a exaltar as virtudes da idiotice:

Tal como um bebê que não sabe falar,

Como que suspenso por um fio,

Não tenho onde me apoiar.

Só eu estou desarmado.

Pareço ser um idiota,

Nunca se viu tamanho imbecil!

Eles têm o espírito aguçado,

Só eu pareço confuso.

Eles são tão perspicazes,

E eu, tão ineficaz.

Vou ao sabor das ondas,

Cisco levado sem descanso.

Todos eles têm prática,

E eu sou mais empacado que uma mula!

Por que tão singular?

É que ainda mamo no peito de minha mãe.

A idéia é retomada no "Arcano militar", dos *Seis arcanos*, em que, sublinhando a necessidade do segredo na política e na guerra, o autor emprega este tipo de metáfora: "Antes de atacar, a ave de rapina voa baixo e dobra as asas; antes de se arremessar contra a presa, a fera baixa as orelhas e encurva a espinha; antes de agir, o santo parece mergulhado na estupidez". No entanto, uma das melhores ilustrações do estratagema que consiste em esconder os talentos reais sob a aparência da tolice ou da incapacidade não está na China, mas no Ocidente. É dada por Balzac, em *Eugênia Grandet.*

De fato, encontramos aí esta magnífica passagem, em que são explicadas as razões do sucesso do pai Grandet:

"O tartamudeio ostentado há tanto tempo pelo homenzinho e que passava por natural, assim como a surdez de que se queixava em tempos de chuva, tornou-se, nessa conjuntura, tão cansativo para os dois Cruchot que, escutando o vinhateiro, eles careteavam sem o saber, fazendo esforços como se quisessem concluir as palavras nas quais ele empacava sem razão. Aqui, talvez, torna-se necessário contar a história da gagueira e da surdez de Grandet. Ninguém, no Anjou, ouvia melhor e podia pronunciar mais claramente o francês da região do que o ardiloso vinhateiro. No passado, apesar de toda a sua esperteza, ele fora ludibriado por um israelita que, durante a discussão, levava a mão à orelha à guisa de corneta, sob o pretexto de ouvir melhor, e algaraviava tão bem enquanto procurava as palavras que Grandet, vítima de sua humanidade, sentiu-se obrigado a sugerir ao esperto judeu as palavras e as idéias que parecia buscar o judeu, concluir ele próprio os raciocínios do dito judeu, falar como devia falar o maldito judeu, enfim, ser o judeu e não Grandet. O tanoeiro saiu desse combate bizarro tendo concluído o único negócio do qual teve de se arrepender durante todo o curso de sua vida comercial."

Não conheço exegese melhor e mais luminosa da fórmula do *Sun-tzu*: "Combater o inimigo em seus planos". Não se trata de nada além do que fazer com que o adversário se torne tão perfeitamente nós mesmos que trabalhe conosco para seu próprio prejuízo. O subterfúgio de Grandet, no final das contas, é apenas o corolário do axioma que permeia toda a reflexão chinesa da estratégia, segundo o qual a guerra se baseia na mentira, ou melhor, ela é mentira: "ping, kouei tao ye", o que, traduzido literalmente, dá: "A guerra é a via da mentira", uma arte, que exige, justamente, parecermos o contrário do que somos e sermos o contrário do que parecemos:

"Capaz, passe por incapaz; pronto para o combate, não deixe que percebam; próximo, pareça longe e longe, pareça perto. Atraia o adversário com a promessa de uma vantagem; pegue-o na armadilha fingindo desordem; se ele se concentrar, defenda-se; se ele for forte, evite-o".

Sãos esses os preceitos de Sun Tzu que a astuciosa e bela esposa de um mercador de Rimini, cujo nome Boccaccio não nos fornece, aplicou ao pé da letra, sem de resto conhecê-los, para enganar um marido ciumento que pensou que podia bancar o esperto com ela. Ele se disfarçou de padre para ouvir sua confissão e foi imediatamente descoberto. Simulando ingenuidade e ignorância, ela deu um jeito de contar a ele algumas baboseiras que o manteriam de guarda atrás da porta, à espreita da visita noturna de um padre imaginário que seria capaz de abrir as fechaduras da casa apenas com encantamentos e deitar com ela enquanto o marido dormia ao seu lado. Enquanto isso, no quarto, ela recebia o amante, que vinha ter com ela pelo telhado. Mas a patifaria não parou por aí. Durante a explicação que teve em seguida com o marido ciumento, ela revelou que o reconhecera imediatamente sob a roupa do religioso e que todas as palavras da confissão que fizera tinham duplo sentido: quem, além dele, poderia ser esse religioso que abria todas as fechaduras da casa e deitava com ela, no momento em que ele estava presente na cama? Envergonhado por ter se deixado levar na conversa, e seguro dos sentimentos da mulher, o marido abandonou a sentinela, de modo que o amante não precisou mais passar pelos telhados para encontrar-se com sua amante – bastava que esta lhe abrisse a porta com cuidado.

Podemos nos perguntar, no entanto, se a regra prescrita pelo estratagema não é rígida demais. Embora seja válida para os chefes de guerra, pelo menos aos homens políticos ela não se aplica com o mesmo rigor. Maquiavel, em seus *Discursos sobre a primeira década de Tito Lívio*, lembra de maneira muito oportuna, a propósito de Brutus, que pode haver sabedoria em simular a loucura. E muitos homens de talento do império do Meio deveram sua sobrevivência e sua glória futura ao fato de terem sabido bancar o louco diante de tiranos sanguinários, desde Ki tseu, tio do último soberano Chang, no século X a.C., até Yong-lo, tio de Kien-wen, no século XV d.C.

上屋抽梯

SHANG WU CHOU TI

VIGÉSIMO OITAVO ESTRATAGEMA

Retirar a escada depois de fazer o outro subir no telhado

Engabelamos o outro com a promessa de uma vantagem, incitamo-lo a avançar, afastamo-lo de suas bases e apoios, de tal modo que ele seja pego numa armadilha mortal, à imagem da fórmula: "Não estando no lugar certo, ele encontra uma pedra no caminho".

Comentário:

É pela perspectiva de um proveito que o estimulamos. Todavia, se o atraímos sem oferecer facilidades para que atinja os objetivos que fizemos reluzir diante dele, não é certeza que o plano funcione. É por isso que a combinação consistente em retirar a escada exige, em primeiro lugar, que se disponha dela ou, ao menos, seja claramente apontada.

O artigo XI de *A arte da guerra*, de Sun Tzu, traz este longo desenvolvimento absolutamente extraordinário pelo vigor do estilo e pela firmeza do pensamento, de onde é tirada a expressão fixa que deu nome ao vigésimo oitavo estratagema:

"Aquele que se distingue no uso das armas guia seu exército como se conduz um homem pela mão, colocando-o constantemente de costas para o muro [...].

Quando leva seus homens para o combate é como se retirasse a escada de seus pés depois de tê-los feito subir em cima de um muro. Penetra profundamente no interior do território inimigo e aperta o gatilho. Queima seus navios e quebra suas panelas. É como o pastor que conduz o rebanho ora para aqui, ora para ali, sem que ninguém saiba aonde ele vai."

O hexagrama 21, *Cheu-ho*, "Mordida", "Ruminação", de onde vem a fórmula oracular, é composto do Fogo acima do Trovão. O nome se deve à semelhança da figura com o maxilar: duas linhas contínuas acima e abaixo que se fecham em torno de um objeto duro (a linha yang na quarta posição) e o cortam como dentes, enquanto a língua, sugerida pelas três linhas yin, se prepara para engoli-lo. O hexagrama representa, portanto, a ação conjunta do duro e do mole que permite resolver as pendências. Aqui, porém, o compilador dos *36 estratagemas* altera a fórmula da "Pequena imagem" da terceira linha: "Se ele encontra uma pedra no caminho é porque não está em seu lugar". De fato, uma linha mole, feminina, par, está empoleirada no alto do primeiro trigrama, em posição ímpar, masculina, portanto num lugar que não é o dela. Por outro lado, o traço maleável encontra-se na segunda posição, depois na terceira e, por fim, na quinta, numa situação central, que garante o domínio da configuração, tanto que a estrutura global da figura evoca a progressão daquele que sobe uma escada e, chegando ao alto, vê-se numa posição desconfortável, porque foi além de suas capacidades. É por isso que o comentário do julgamento diz: "O fraco ocupa o lugar central e avança em direção ao alto. Ele não está no lugar certo...". Vemos, portanto, que o hexagrama é de fato bastante indicado para simbolizar o mecanismo desse ardil.

O desenvolvimento de *A arte da guerra*, de onde é tirada a locução "retirar a escada depois de ter feito os homens subirem no telhado" é precedido desta consideração, que explicita as motivações psicológicas – ficaríamos tentados a dizer os tropismos – nas quais se baseia o procedimento:

"O exército do hábil chefe de guerra é semelhante à grande serpente do monte Heng, o Chouai-jan: quando atacamos sua cabeça, encontramos sua cauda; quando atacamos sua cauda, encontramos sua cabeça; quando atacamos sua barriga, a cabeça e a cauda correm em seu auxílio. Se me perguntarem se um general pode fazer com que suas tropas reajam como o Chouai-jan, eu responderei que sim. De fato, ainda que os povos de Yue e de Wou se detestem, se, ao atravessarem o rio Azul no mesmo barco, foram pegos por uma tempestade, eles cooperarão tão estreitamente quanto a mão direita com a mão esquerda."

Os comentadores de *A arte da guerra* ilustram o princípio disso por meio do famoso episódio em que o general Hsiang Yu, antes de desafiar os exércitos do Ts'in e depois de atravessar o rio, a fim de mostrar sua resolução e fazer seus homens compreenderem que não tinham nenhuma escapatória, afundou os navios, quebrou as panelas, incendiou os acampamentos e levou víveres para apenas três dias.

Esse foi o mesmo expediente usado por Han Hsin, o general fundador da dinastia dos Han, quando fez seus homens combaterem de costas para o rio para forçá-los a defender suas vidas com a energia do desespero e vencer os exércitos do Tchao. Maquiavel, em seus *Discursos*, também insiste no benefício que um homem de guerra obtém, dispondo seus homens de costas para um muro, e até dedica um capítulo ao artifício: "Como um hábil capitão deve levar seus homens à necessidade de lutar, e propiciar aos do inimigo todos os meios de isentar-se dela". Podemos ler aí, entre outras observações, o seguinte:

"Os antigos chefes de exército, conhecendo o império dessa necessidade e como ela tornava os soldados determinados a combater, não negligenciavam nenhum meio de encurralá-los. Por outro lado, empregavam toda a sua arte para livrar dela o inimigo. Assim, mais de uma vez, eles facilitaram ao inimigo uma retirada que poderiam interromper, enquanto aos seus homens interrompiam a que poderiam propiciar."

À luz dessas últimas reflexões do homem de Estado italiano, o estratagema aparece, além disso, como o corolário do princípio fundamental de que nunca se deve barrar inteiramente a retirada de um inimigo em apuros.

Na interpretação que os *36 estratagemas* dão da fórmula, a combinação não se dirige às próprias tropas, mas às do inimigo. Assim, o procedimento diz respeito a todo o arsenal de ardis que consiste em atrair o adversário para uma armadilha fazendo com que uma vantagem cintile diante dele, com a diferença de que, ainda por cima, ele recebe facilidades para chegar aos seus fins (a escada), facilidades estas que se revelarão fatais quando forem retiradas. Poderíamos citar da volumosa literatura chinesa estratégica ou romanesca (que, aliás, muitas vezes se confundem) uma série de ilustrações pertinentes dessa combinação. Um exemplo particularmente interessante é dado pelos *Estratagemas dos Reinos Combatentes* a propósito de um ardil imaginado por Sou Tai para tirar proveito da rivalidade entre dois reinos vizinhos, se bem que ele tenha implicações mais econômicas do que militares e seja um fragmento de uma combinação muito mais astuciosa, porque o finório conseguiu granjear o reconhecimento dos dois otários quando realizou a proeza de favorecer o adversário um do outro, ao mesmo tempo em que lhes fazia de fato um favor:

"O Tcheou oriental queria se lançar na cultura irrigada de arroz, porque os lucros eram mais elevados que os do trigo. Seu vizinho e rival, o Tcheou ocidental, com o qual estava em conflito e que controlava o curso do rio a montante, negava-lhe água. O soberano do Tcheou oriental afligia-se com isso e abriu-se com Sou Tai, que estava de passagem pelo principado. Este prometeu tratar do caso. Foi até o rival e mostrou-lhe que ele tinha todo interesse em ceder água para o vizinho. Uma vez que tivesse adotado a agricultura do arroz, este último ficaria à sua mercê: bastaria cortar a água para arruinar sua economia.

O soberano do Tcheou ocidental ficou encantado com esse plano engenhoso. O soberano do Tcheou oriental, por sua vez, estava em êxtase: finalmente poderia cultivar arroz em suas terras e, com os lucros muito maiores, juntar o excedente necessário para recrutar as tropas e atacar o vizinho. Quanto a Sou Tai, ele foi generosamente recompensado pelos dois soberanos."

No episódio do estratagema elaborado por Sou Tai, que deveria beneficiar o Tcheou ocidental, metendo o vizinho no chinelo, a ameaça de interrupção do fornecimento de água é mais eficaz que sua execução. O Tcheou ocidental mantém o vizinho à sua mercê na medida em que, depois de fazê-lo "subir no telhado" facilitando seu projeto de cultivar arroz, pode chantageá-lo com a ameaça de "retirar a escada" cortando a água. Esse exemplo permite que se vá além do quadro da estratégia militar e se aborde o quadro geral das técnicas de dominação e de subjugação. A indústria nuclear fornece um dos melhores exemplos disso. As usinas atômicas geram rejeitos radiativos que precisam ser tratados, sob pena de contaminar o planeta, e criam assim uma indústria nuclear induzida, em que se produz a matéria-prima, se é que podemos chamá-la assim, que alimenta as velhas centrais, de tal modo que a perenidade da cadeia fica assegurada. Como a energia nuclear cria as condições de sua própria necessidade, a humanidade se vê presa na armadilha, como um homem a quem se faz subir no telhado e, uma vez lá em cima, se retira a escada. Assim, genericamente, o plano remete à própria função do progresso como meio de subjugar o homem. De fato, ele é realmente essa escada que nos faz subir cada vez mais alto, pretensamente para desfrutarmos de vantagens maravilhosas, mas que nos impede de voltar para trás, como se cada degrau que transpuséssemos graças a uma nova invenção fosse logo serrado por esse aperfeiçoamento técnico, de maneira que não temos outra solução senão seguir adiante até o tombo final.

树上开花
SHU SHANG KAI HUA

VIGÉSIMO NONO ESTRATAGEMA

Cobrir as árvores de flores

Servir-se das circunstâncias para aplicar todas as suas capacidades ofensivas, de maneira que se consiga dar uma impressão de potência com forças reduzidas, segundo a fórmula divinatória: "O ganso selvagem avança para terra firme, suas penas vão me servir de adorno".

Comentário:

Ainda que determinada árvore não tenha flores, ela poderia tê-las. Posso decorá-la com flores artificiais, que são impossíveis de distinguir das verdadeiras a menos que se faça um exame detalhado. É assim que as árvores e as flores, ajudando-se mutuamente, fascinam a vista e oferecem um espetáculo encantador. No plano militar, isso consiste em dispor nossos elementos de elite no meio dos regimentos aliados para reforçar sua potência e impressionar o inimigo com essa demonstração de força marcial.

❖ ❖ ❖

"O ganso selvagem avança para terra firme, suas penas vão me servir de adorno" é o julgamento associado à sexta linha yang do hexagrama 53, *Kien*, "Progresso", que é composto pelo trigrama *Ken*, "Montanha", abaixo do trigrama *Hsiun*, "Vento", mas que simboliza também o bosque, de maneira que, sendo a imagem evocada a das árvores, dos montes que crescem aos poucos, o hexagrama significa um processo lento e contínuo de crescimento. Também está ligado à cerimônia do casamento, já que um traço yin ocupa a posição central do primeiro trigrama, ao qual corresponde um traço yang, também em posição central, no trigrama superior. Todavia, não foi o halo de conotações sugeridas pela estrutura ou pelo simbolismo do hexagrama que interessou o compilador, mas simplesmente a fórmula divinatória da última linha, que evoca a idéia de um adorno e – como se trata de um último traço cheio – da possibilidade de melhorar a aparência, de adquirir imponência graças a essa ornamentação e, portanto, de ganhar poder e autoridade.

A locução proverbial que serve para designar o estratagema tem certa afinidade com esta outra expressão proverbial: "Raposa vestida com o prestígio do tigre", que corresponde bastante bem ao nosso "asno vestido com pele de leão". A fórmula "raposa vestida com o prestígio do tigre" tem origem numa história inventada por um retor para servir como ilustração política e que consta da seção "Estratagemas de Tch'ou I", dos *Estratagemas dos Reinos Combatentes*:

"O rei de Chu interroga a multidão de ministros:

– Chegou aos meus ouvidos que as províncias do norte temem Tchao Hsi-hsiu. Que há de verdade nisso?

A multidão de ministros permanece silenciosa. Então Kiang Yi, um conselheiro do séquito do soberano, conta a fábula seguinte:

– Depois de ter se fartado com uma multidão de animais, um tigre agarrou uma raposa. A raposa disse a ele: 'Você teria a audácia de comer aquele que o Céu designou para ser o rei dos animais e desobedecer assim aos seus decretos? Se não acredita, venha atrás de mim e verá como a multidão de bichos da floresta desatará a correr assim que eu me aproximar!'. O tigre se deixou convencer e seguiu atrás dela. Naturalmente, todos os animais fugiam assim que eles se aproximavam. O tigre não entendeu que os animais desatavam a correr por causa dele, não por causa da raposa.

E o retor conclui:

– Meu príncipe, o senhor dispõe de uma terra de cinco mil léguas de comprimento e de uma força militar de um milhão de soldados encouraçados, cuja responsabilidade o senhor confiou a Hsi-hsiu. Desse modo, são seus soldados que as províncias do norte temem em Hsi-hsiu, exatamente como na fábula os animais temem o tigre, não a raposa."

Embora, hoje, a expressão proverbial sirva para estigmatizar a conduta de quem se aproveita da autoridade ou do prestígio dos poderosos para oprimir ou maltratar alguém, esse não era o sentido primitivo do apólogo.

Quanto aos comentadores modernos, eles citam o estratagema usado por Tchang Fei, o General Voador, um dos irmãos jurados de Virtude Oculta, rei do Chou, para manter à distância o exército de Ts'ao Ts'ao, que estava no encalço das tropas de seu mestre. Dispondo apenas de algumas dezenas de cavaleiros, ele mandou que seus homens cortassem árvores e as arrastassem para que nuvens de poeira se erguessem e fizessem crer que havia um corpo de cavalaria escondido no bosque, enquanto ele mesmo se postava no vau e impedia a passagem. Diante do altivo guerreiro e da nuvem de poeira que subia das árvores, as tropas de Ts'ao Ts'ao preferiram bater em retirada, com medo de um ataque traiçoeiro.

Alguns doutos comentadores militares citam como exemplo o estratagema imaginado por T'ien Tan, general do Ts'i, que semeou o pânico nas fileiras dos sitiantes do Yen arremessando contra eles bois pintados como demônios e enlouquecidos por varas de bambu em chamas que haviam sido enfiadas no traseiro deles. O ardil imaginado por Charles para se vingar da senhora Mac'Miche em *Um bom diabrete*, da condessa de Ségur, me parece ainda mais engenhoso. Ele colou em cada uma das próprias nádegas um pedaço de papel preto recortado na forma de um diabo, com chifres e uma horrível língua vermelha para fora, também confeccionada com papel recortado, de modo que quando a terrível, porém supersticiosa, senhora Mac'Miche lhe arrancou as calças para lhe aplicar uma punição, ela caiu de costas de pavor.

O paralelismo é ainda mais notável porque, nos dois casos, o ardil vem acompanhado de uma intensa preparação psicológica, que sozinha já poderia tornar o estratagema operante. T'ien Tan conseguiu convencer as tropas adversárias, por meio de procedimentos engenhosos, que tinha parte com os espíritos e que estes o visitavam na forma de pássaros – ele conseguiu atraí-los apresentando oferendas aos ancestrais em pleno ar. Do mesmo modo, Charles fez sua crédula prima acreditar que era protegido por fadas, de quem ela tinha muito medo.

Alguns exegetas chineses, dando um sentido mais amplo ao estratagema, vêem na política de recrutamento de talentos adotada por certos príncipes esclarecidos das potências dos Reinos Combatentes, uma de suas aplicações mais frutíferas. Segundo essa leitura do estratagema, as árvores seriam o país provido de capitais, mas não de talentos, e as flores seriam os talentos que os capitais permitem enxertar num território pouco fecundo em inteligências. Assim, para reunir talentos na corte do pequeno Estado de Yen, fraco e excêntrico, o sábio Vigote propôs o seguinte plano ao rei, expondo-o na forma de uma parábola:

"Era uma vez, há muito tempo, um rei que sonhava com um cavalo fabuloso, o mais rápido do universo, capaz de transpor mil léguas em um dia. Depois de três anos de buscas inúteis, ele ainda não o encontrara, embora tivesse oferecido mais de mil moedas de ouro para quem o trouxesse. O rei estava tomado de um tal desespero que seu velho mestre-de-cerimônias, preocupado com sua saúde, propôs cuidar do caso. Depois de longas e pacientes buscas, ele achou ter descoberto o animal, mas, quando chegou ao local, a maravilhosa montaria havia acabado de entregar a alma a Deus. O mestre-de-cerimônias, no entanto, comprou a cabeça do puro-sangue pela importância de quinhentas moedas de ouro e levou-a em triunfo ao príncipe. Este teve um ataque de fúria e declarou: 'Não me interessa um cavalo morto! Era de um cavalo vivo que eu precisava! Comprar uma carcaça velha a esse preço é dilapidar meus tesouros'. E se preparou para jogar o velho criado num caldeirão de óleo fervente. Este observou: 'Quanto está disposto a pagar por um cavalo vivo alguém que compra por quinhentas moedas de ouro a cabeça de um corcel morto? Depois disso, todos os habitantes do império, na esperança de uma recompensa fabulosa, se desdobrarão em quatro para lhe arranjar os melhores corcéis'. De fato, não demorou um ano para que o soberano se tornasse proprietário das três melhores montarias do universo."

E tirando a moral da fábula para seu interlocutor, acrescentou:

– Se sua ambição é atrair para si homens notáveis, assim como proclama a quem quiser ouvi-lo, pois então comece a celebrizar a mim, que não sou mais do que o cadáver de um grande homem. Pensarão que se um velho pangaré, como Vigote, pode obter as mais altas dignidades em memória de seus méritos passados, a que honrarias não poderão aspirar os sábios em plena posse de suas faculdades? Sim, o senhor que se queixa de ser abandonado por todos, verá homens notáveis, vindos de todos os cantos do império, correrem para o senhor!

E o cronista que relata a historieta conclui:

"Foi assim que o rei do Yen conseguiu derrotar o Ts'i e vingar-se das humilhações que este o fez sofrer, recebendo em sua corte os letrados mais notáveis e as mentes mais brilhantes da época, como Lo Yi; que o Wou venceu o Tch'ou depois de contratar os serviços de Wou Tseu-hsiu, que fugira do Tch'ou, e finalmente que o Ts'in enrolou o império debaixo do braço como se fosse uma esteira graças à sua política de acolher todos os estrangeiros competentes."

De fato, há uma relação estreita entre o brilho dos principados e o número de refugiados acolhidos em seu solo.

Alguns não hesitam em comparar a política de recrutamento adotada pelos príncipes ambiciosos do período dos Reinos Combatentes com a política praticada atualmente pelos Estados Unidos, que facilita a fuga de cérebros para o seu território. Nesse caso, a França, com sua política de restrição à imigração xenofóbica e medrosa, seu ódio contra a inteligência sob todas as formas, estaria fadada a um declínio rápido, a exemplo do reino do Tcheou. O Tcheou, berço da dinastia reinante, país em plena decadência e cujo território encolhia como pele de onagro, proibia a estada de estrangeiros em seu solo, assim como lembra de maneira muito divertida uma anedota registrada em *Floresta de anedotas I*, do *Han-fei-tseu*:

"Um habitante do Wei foi ao Tcheou. O Tcheou se recusava a receber estrangeiros. Assim, quando lhe perguntaram se era visitante, ele respondeu que era residente do país. No entanto, como era incapaz de fornecer a prova indicando o nome de alguém do bairro, foi jogado na prisão. O soberano enviou uma pessoa para interrogá-lo:

– Por que você disse que era do Tcheou, quando na verdade é um estrangeiro?

O homem respondeu:

– Quando crianças, tínhamos de recitar estes versos do *Livro das odes*: 'Não há terra que o céu cubra que não seja terra do rei, até as fronteiras do mundo, não há ninguém que não seja seu súdito'. Ora, o soberano do Tcheou não é Filho do Céu? Então eu sou súdito do Filho do Céu. Como um súdito poderia ser considerado por seu príncipe um estrangeiro de passagem? Foi por isso que declarei que era residente do Tcheou.

O soberano mandou libertá-lo."

反客为主
FAN KE WEI ZHU

TRIGÉSIMO ESTRATAGEMA

Passar de convidado a dono do lugar

Deslizamos o pé pela porta entreaberta e, em seguida, nos apoderamos aos poucos do comando, seguindo a máxima: "O progresso se faz aos poucos".

Comentário:

Quem é comandado na casa do outro é escravo; quem é honrado nela é hóspede. Quem não consegue tomar pé na casa do outro é hóspede de passagem; quem consegue se estabelecer nela é hóspede permanente. Um hóspede permanente que não tem o controle dos negócios da casa é desprezado; só o hóspede duradouro que consegue dirigir os negócios poderá aos poucos assenhorar-se das rédeas da administração da casa e tornar-se o verdadeiro dono dela. É por isso que o processo para passar de convidado a dono do lugar necessita das seguintes etapas: o primeiro passo consiste em lutar para ser admitido como convidado; o segundo, em espreitar a porta entreaberta; o terceiro, em introduzir aí o pé; o quarto, em assenhorar-se do comando; o quinto, em ocupar o lugar do mestre. Para ocupar o lugar do mestre, é preciso dispor-se a tomar o comando do exército alheio. Essa é a marcha que permite uma conquista progressiva do poder.

A fórmula oracular é tirada do comentário do julgamento do mesmo hexagrama 53, "Progresso", que serve de ilustração para o estratagema anterior. A idéia de progresso é dada pelos traços femininos, que estão em seus lugares, com exceção da primeira linha yin, que ocupa uma posição masculina. À maneira de uma jovem esposa que deixa a casa paterna, onde era uma simples hóspede de passagem, para morar com a família do esposo, onde será integrada aos poucos, a linha feminina do início progride para o alto com o intuito de alçar-se à posição que lhe cabe. Daí a fórmula da explicação do julgamento: "O progresso se faz aos poucos. O casamento da moça é um evento ditoso. Avançando, ela encontra seu lugar certo...". De resto, no contexto do estratagema, a fórmula dispensa comentários.

No plano político, um caso clássico é fornecido pela maneira como Lieou Pei, aliás, Virtude Oculta, convidado por Lieou Tchang para lhe dar uma mão na defesa do Yi-tcheou, acabou desapossando o anfitrião e passando a mão em suas posses. Outro grande romance popular, *As bordas da água*, relata um processo análogo. Fugitivos recebidos de braços abertos por bandidos no covil dos montes Leang-chan, ali se instalam, tomam ascendência e, sob o pretexto de que os antigos chefes, com ciúmes dessa influência, querem atentar contra a vida deles, antecipam-se, eliminam-os e tomam lugar à frente do bando.

Tartufo, de Molière, descreve o mesmo procedimento. Balzac, que o leu, transforma o estratagema num dos móbeis principais de seus romances. Poderíamos dizer até que quase toda a sua obra é tributária desse mecanismo. Rastignac, jovem gascão ambicioso e sem dinheiro, introduz o pé pelo vão da porta do Faubourg Saint Germain, penetra ali, instala-se, intriga e, graças às mulheres, consegue chegar a ministro. Cibot, de seu posto de zeladora, introduz-se na casa do primo Pons, torna-se indispensável aos dois solteirões, governa-os e acaba comandando seus destinos. O jovem e ambicioso herói de *Os pequenos burgueses*, Théodose La Peyrade, torna-se o ídolo dos Thuilliers e de todos aqueles que gravitam em torno deles, pegando-os por seus dois únicos pontos fracos, o dinheiro e o amor-próprio, e só Deus sabe a que fins teria chegado se o autor tivesse conseguido terminar o romance! Exemplar também, nesse sentido, é a carreira infeliz de Savarus. O ambicioso calculou tudo com cuidado, o lugar mais indicado para fazer carreira – Besançon – e seu plano de campanha: graças à sua atividade de advogado de negócios, poderia pôr o pé nos salões dos grandes comerciantes da cidade, embora fosse legitimista. Depois que tivesse conquistado a confiança da burguesia, se elegeria deputado e, graças à sua visão política, comandaria o destino do departamento. Dessa base territorial, poderia partir para a conquista de Paris e obter a mão da princesa Solderini, que ele amava de paixão e era o fim último de suas manigâncias.

Infelizmente, nada ocorreu como previsto, em primeiro lugar porque ele ganhou um processo em nome da diocese contra a cidade, isto é, contra seu partido, e por conta disso viu-se apoiado mais por seus inimigos que por sua facção. Em segundo lugar, principalmente, porque foi vítima da maquinação tramada por amor por uma menina romântica de dezessete anos que tinha ciúmes da princesa e da qual ele ignorava até a existência. A grande lição estratégica que Balzac nos dá nessa novela, como em suas obras mais ambiciosas e mais bem-acabadas – refiro-me, entre outras, a *Os funcionários* –, é que o sucesso não depende somente da perfeição dos planos, do apoio de gente importante e da posição eminente que se ocupa, mas também das tramóias dos porteiros, dos cálculos dos personagens obscuros de ambições mesquinhas ou, no mínimo, estritamente limitadas à esfera imediata de seus interesses pessoais, ainda mais perigosas porque escapam inteiramente da vista dos grandes homens, que se movem numa esfera elevada demais para percebê-las. E, no entanto, essas mentes penetrantes deveriam saber que o ódio de um contínuo, assim como o amor secreto de uma menina, podem ser mais terríveis que a inimizade de um ministro ou o rancor de uma duquesa! Essas intrigas subterrâneas de comparsas que também tecem suas teias e vêm interferir nos projetos soberbos dos ambiciosos de altos vôos seriam a contrapartida na vida social do que é na guerra a "fricção" clausewitziana, com a única diferença de que em Clausewitz, por não ter sabido fazer uma análise concreta da guerra, como fizeram os grandes romances realistas do século XIX com o personagem, o conceito permanece suspenso no céu das idéias e, no final das contas, condensa-se em dogmatismo. Estava claro que quem quer que tentasse aplicar as teorias do general prussiano na vida, como nos campos de batalha, correria para um fracasso inevitável.

Capítulo VI
Estratagemas da guerra perdida

美人计
MEI REN JI

TRIGÉSIMO PRIMEIRO ESTRATAGEMA

O estratagema das mulheres bonitas

Quando um exército é forte, buscamos atingir o general-em-chefe; quando este é precavido, nós o pegamos por suas paixões. Um exército se desfaz sob um comando mole; é assim que seu poder se esvai por si mesmo. Como recomenda a máxima: "Proveitoso empregar para se defender das agressões: a docilidade permite se proteger".

Comentário:

Não podemos nos opor a um país cujo exército é poderoso e o general é precavido. As circunstâncias nos obrigam a servi-lo. Mas servindo-o, oferecendo-lhe terras, aumentamos ainda mais seu poder, como fizeram os seis Estados ao adular o Ts'in. Essa é uma solução ruim. Também podemos servi-lo cobrindo-o de presentes, a exemplo dos Song diante dos Kitan e dos Jürchen, uma tática que tampouco dá bons resultados. A única maneira de servir um Estado poderoso é oferecer-lhe mulheres bonitas, e com isso amolecer sua vontade, enfraquecer seu vigor e despertar o ressentimento do povo. Foi assim que procedeu Keou-kien diante de Fou-tch'ai, de modo que conseguiu transformar a derrota em vitória.

❖❖❖

Os estratagemas do último caderno não são colocados sob a rubrica de uma locução proverbial quadrissílaba, mas sim de três caracteres que definem um plano (*ki*) específico.

A fórmula "Proveitoso empregar para se defender das agressões: a docilidade permite se proteger" reproduz a explicação simbólica do julgamento do traço yang na terceira posição do hexagrama 53, *Kien*, deturpando seu sentido primitivo. A sentença completa é: "O ganso selvagem avança para terra firme. O marido parte para a guerra e não retorna. A mulher está grávida, mas não leva a criança a bom termo. Nefasto. Proveitoso, contudo, para a defesa contra as agressões". O comentário simbólico do julgamento fornece a seguinte explicação: "Se o marido parte para a guerra e não retorna é porque se separou de seus companheiros. Se a mulher está grávida, mas não leva a criança a bom termo, é porque perdeu o caminho certo. Se, no entanto, a configuração é proveitosa para a defesa contra as agressões é porque o povo é submisso e todos se protegem mutuamente". O compilador recorre a essa fórmula hexagramática – motivada pela posição inadequada das linhas – entre todas as outras, certamente, em razão da referência à feminilidade e à situação conotada pela configuração geral dos símbolos, que evoca uma passagem difícil, em que só a maleabilidade e a submissão características da mulher permitem rechaçar os ataques e se livrar de uma situação crítica.

O estratagema é um dos mais antigos que existem no mundo. No mito de Hesíodo, Zeus recorreu a ele contra Prometeu para se vingar do roubo do fogo, sob a forma de Pandora, "a mais bela das mentiras", contrapartida do fogo e réplica matreira do ardil do Titã. Ela é, portanto, a armadilha vitoriosa dos olimpianos que precipita a derrota definitiva dos homens diante dos deuses e sanciona seu *status* de mortais. Poderíamos citar ainda, ao menos da literatura religiosa, o exemplo de Dalila, que, ao cortar os cabelos de Sansão, destruiu a força viril do guerreiro e foi o instrumento da sua perdição. Na China, as mulheres fatais responsáveis pela ruína dos valentes e pela queda dos impérios são legiões. Como são legiões os sábios que foram vítimas dessa arma terrível. Confúcio em primeiro lugar. O episódio da desqualificação do sábio em razão de um pérfido presente de lindas mulheres que um vizinho preocupado lhe fez é famoso e não há fonte antiga que não o mencione. Em sua *Floresta de anedotas I*, Han Fei o relata da seguinte maneira:

"Depois que Confúcio recebeu o encargo do governo do Lou, podia-se deixar objetos largados pelos caminhos que não eram levados. O duque King, de Ts'i, inquietou-se. Seu conselheiro, Li Kiu, tranqüilizou-o:

– O senhor o afastará como se sopra um pêlo. Basta oferecer ao soberano uma trupe de lindas cantoras para lhe virar a cabeça. Confúcio não deixará de repreendê-lo. De tanta repreensão, os laços entre eles se afrouxarão.

– Muito bem pensado – disse o duque King.

Despachou o conselheiro para o Lou a fim de entregar ao duque Ngai duas trupes de oito dançarinas. Essa nova fonte de divertimento desviou o soberano de seus deveres. Confúcio lhe deu algumas chamadas, mas não foi ouvido. Por fim, abandonou o mestre e refugiou-se no Tch'ou."

O mesmo procedimento, ainda segundo Han Fei, foi usado pelo rei de Ts'in contra Yeou-yu, o sábio conselheiro de um chefe bárbaro. Em "Dez erros", ele faz o seguinte relato:

"Quando o embaixador dos Jong, Yeou-yu, saiu, o duque de Ts'in chamou o historiógrafo do palácio, Leao, e confidenciou:

– Dizem que a presença de um sábio num reino é o tormento de seus vizinhos. Yeou-yu é um sábio e estou preocupado. O que você me aconselha?

– Os Jong – respondeu o ministro – moram num país distante. Nunca ouviram a música dos Reinos do Meio. Envie ao príncipe deles uma orquestra de músicos para perturbar o governo. Peça, ao mesmo tempo, que Yeou-yu adie seu retorno para livrar o príncipe de suas repreensões.

O soberano aprovou. Enviou Leao ao rei dos Jong para presenteá-lo com duas trupes de oito músicos e interceder para que Yeou-yu permanecesse na corte de seu mestre. O chefe dos Jong aceitou. A visão dos músicos o encantou. Dava banquetes e festas e passava o dia a ouvi-los, tanto que se esqueceu de transferir o acampamento. Metade da tropa de cavalos e de bois morreu. Yeou-yu finalmente retornou. Deu umas chamadas. Não foi ouvido. Yeou-yu se refugiou no Ts'in. O duque Mole recebeu-o com grande pompa e concedeu-lhe o título de ministro. Interrogou-o sobre a força militar dos Jong, assim como sobre a topografia de seus territórios. Quando obteve todas as informações desejadas, recrutou as tropas, atacou os Jong, conquistou doze tribos e construiu para si um feudo de quatro mil léguas de comprimento."

空城计
KONG CHENG JI

TRIGÉSIMO SEGUNDO ESTRATAGEMA

O estratagema da cidade vazia

Deixa-se o vazio aparecer vazio, de maneira que as conjeturas se engendram infinitamente: "no ponto de contato do duro e do mole", as estratégias tombam umas sobre as outras.

Comentário:

O fato de podermos revelar nossos pontos fortes e nossos pontos fracos demonstra a exatidão do princípio de Sun Tzu, segundo o qual não poderia haver dispositivo rígido na guerra. Não faltaram capitães que, nas pegadas de Luz da Razão, adotaram a tática que consiste em revelar a fraqueza de seus pontos fracos. Depois do saque de Koua-tchou, quando Wang Kiun-houan perdeu a vida, os habitantes do oeste do rio Amarelo viviam com pavor de que os turcos voltassem. Tchang Cheou-kouei, tendo sido nomeado censor de Koua-tchou, dispôs-se a reconstruir os muros da cidade à frente dos sobreviventes. No entanto, mal se ergueu a estrutura de madeira, os bárbaros fizeram uma nova intrusão. Pegos desprevenidos, sem meios de se defender, os homens atrás dos muros se entreolharam, com os rostos lívidos, abandonados de qualquer ardor combativo. Cheou-kouei calculou: "Eles são muito mais numerosos que nós e, além disso, a maioria de nossos homens, enfraquecidos e machucados, seriam incapazes de se defender lançando flechas ou pedras. Precisamos usar de astúcia, portanto". Organizou um banquete sobre a muralha, acompanhado de música, para o qual todos os oficiais foram convidados. Suspeitando que a cidade se preparara para recebê-los, os agressores preferiram se retirar sem lutar.

Sob a dinastia dos Ts'i, quando Tsou Ting foi nomeado censor da província do Hsiu-Tcheou setentrional e havia acabado de assumir sua nova atribuição, ele teve de enfrentar a ameaça conjugada de um ataque das tropas do Tch'eng meridional e de uma revolta popular. Tsou Ting ordenou que os portões da cidade fossem escancarados e mandou que os defensores descessem das muralhas, recomendando que permanecessem sentados nas ruas e impedissem, assim, a circulação dos transeuntes. Também mandou calar cães e galos. Quando os saqueadores se apresentaram diante dos muros da cidade, essa ausência de qualquer sinal de vida os desconcertou. Depois acharam que a cidade havia sido abandonada pelos moradores e se oferecia a eles sem nenhuma defesa. Foi então que, por ordem de Tsou Ting, todos os defensores começaram a gritar e a bater nos tambores como se quisessem sacudir o céu. Os rebeldes, tomados de pânico, deram no pé sem esperar o troco.

❖❖❖

A fórmula que serve de chave numerológica para o estratagema é tirada do comentário simbólico do seis na primeira linha do hexagrama 40, *Kie*, "Liberação", que é formado pelo trigrama *K'an*, "Fosso", cujo atributo é o perigo, abaixo do trigrama *Tchen*, "Trovão", manifestação do movimento, e por isso se põe sob o signo do alívio e da libertação. A imagem geral sugere um movimento fora do perigo, enquanto a relação simbólica entre os dois trigramas pode ser lida como a chuva (*k'an*) que cai quando a tempestade irrompe (*tchen*), trazendo alívio depois de uma grande tensão. Por outro lado, a linha glosada é um traço fraco numa posição forte, em contato imediato com uma linha forte, masculina, o que é a tradução em termos yin yang do apoio mútuo que as estratégias diretas e indiretas se dão.

No célebre episódio do estratagema da cidade vazia, que deu origem a tantas óperas, o estratagema só funcionou porque se baseou no conhecimento íntimo do caráter de Sse-ma Yi, o comandante-em-chefe dos exércitos do Wei. Quando, pego de surpresa com uma guarnição reduzida, na pequena praça de Hsi-tch'eng, pelo avanço de um exército inimigo de cem mil homens, Luz da Razão organizou a encenação da cidade vazia para que acreditassem numa armadilha e, aninhado numa torre, tocou calmamente um alaúde; ele contava com a imagem que o outro fazia dele. Depois da retirada precipitada e inexplicável, ele explicou às pessoas próximas, atônitas, o comportamento do inimigo:

"Sse-ma Yi pensa que sou um homem circunspecto, que nunca tenta desafiar a sorte. Esse espetáculo insólito fez com que suspeitasse de uma armadilha. Mas, na verdade, eu não assumi, voluntariamente, um risco, apenas não tinha outras cartas para jogar."

Todavia, o plano só foi operante, porque a arte da guerra se define como uma arte da mentira, e porque Luz da Razão é um dos mestres da ciência estratégica. No contexto do logro generalizado, a proclamação da verdade também é uma mentira. Em razão do perverso mecanismo da inversão, que é acionado pelo postulado básico: "Isto é uma mentira", todo enunciado verídico se torna, pelo próprio fato de ser verídico, mentiroso, do mesmo modo que todo ato pretensamente enganador, pelo próprio fato de possuir um caráter enganador, não pode ir além do que ele é literalmente, isto é, a enunciação pura e simples da verdade; mas, por essa mesma razão, ele se inverte no seu contrário em virtude dessa transparência que, graças ao efeito de espelho produzido pela petição do princípio de que tudo é mentiroso, se vê revestida de um signo contrário.

反间计

FAN JIAN JI

TRIGÉSIMO TERCEIRO ESTRATAGEMA

O estratagema dos agentes regressados

Jogo duplo no jogo duplo. Como diz a máxima: "Ele nos serve a partir de dentro, de maneira que nada nos escapa".

Comentário:

Os espiões servem para semear a desconfiança no Estado-Maior adverso; os espiões regressados servem para usar os espiões do adversário para semear a desinformação em seu próprio campo. Assim, com a morte do rei Tchao, de Yen, o rei Houei sucedeu-lhe no trono. Ora, este teve queixas de Lo Yi quando ainda era príncipe herdeiro. T'ien Tan aproveitou-se disso para libertar agentes inimigos, aos quais mandou dizer que reinava a discórdia entre o rei e seu general-em-chefe, tanto que este temia ser executado a qualquer momento. Nessas circunstâncias, ele pretendia atrair para si as simpatias do exército para se apoderar do Ts'i e se tornar rei; mas como naquele momento os habitantes do Ts'i se recusavam a se render, ele atacaria a cidade de Ki-mo debilmente, enquanto esperava que a situação evoluísse de maneira favorável. Entende-se que, nessas condições, o único temor do povo do Ts'i era que outro general fosse nomeado, porque nesse caso Ki-mo cairia imediatamente. Como essas palavras foram relatadas ao rei Houei, ele mandou que Ts'i K'ie substituísse Lo Yi à frente das tropas do Yen, e Lo Yi teve de buscar refúgio no Tchao. Da mesma maneira, Tcheou Yu soube usar para seus próprios fins os espiões enviados por Ts'ao Ts'ao para desinformar o Estado-Maior deste. Esse é mais um exemplo de jogo duplo no jogo duplo.

❖❖❖

"Ele nos serve a partir de dentro, de maneira que nada nos escapa" é uma citação deturpada do comentário simbólico da segunda linha do hexagrama 8, *Pi*, "União", "Solidariedade". O hexagrama é composto do trigrama *K'an*, Fosso, acima do trigrama *K'ouen*, Terra, de modo que apenas um traço masculino, yang, na posição central superior, controla a multidão de traços yin, femininos, subordinados. A configuração evoca, obviamente, o Filho do Céu, que em virtude de sua posição central e eminente rege os outros senhores e consegue que venham prestar homenagem à corte. No contexto do estratagema, porém, ele representa o fio mágico tecido pelo general-em-chefe que, graças aos cinco tipos de agentes definidos por Sun Tzu, estende sua rede em torno dos dirigentes da potência inimiga. A glosa do traço yin na segunda posição dá conta da ressonância entre o traço feminino e central do trigrama inferior e o traço yang, também central, do trigrama superior, remetendo ao papel duplo do espião: de um lado, ele age em segredo, colando-se como uma sombra nos dignitários da potência adversa e espionando-os sem perder nada de seus mínimos gestos e ações; de outro, com seu trabalho de olheiro, ele serve aos mestres da outra potência, permitindo que não cometam atos inconsiderados.

Desde muito tempo, a espionagem desempenhou um papel de destaque na China. O *Sun-tzu* dedica um artigo inteiro, o décimo terceiro e último, aos diferentes tipos de espiões e a utilização de cada um. Ele diz, entre outras coisas:

"Existem cinco tipos de agentes: os agentes nativos, os agentes internos, os agentes regressados, os agentes sacrificados e os agentes preservados. Quando esses cinco tipos de espiões atuam, simultaneamente, sem despertar suspeita, o soberano teceu uma rede mágica, que constitui o mais precioso de seus tesouros.

Os agentes nativos são recrutados entre o povo da região; os agentes internos são recrutados entre os funcionários públicos; um agente regressado é um agente inimigo cujos serviços nós compramos; um agente sacrificado é um espião encarregado de transmitir falsas informações aos serviços inimigos; um agente preservado é um espião que precisamos que volte são e salvo, com informações [...].

É indispensável descobrir os agentes inimigos enviados para se informar. Entramos em contato com eles para suborná-los; atraímo-los com a promessa de uma colocação. É dessa forma que se recrutam agentes duplos. Graças às informações obtidas por intermédio deles, arranjamos os serviços de agentes nativos e de agentes internos; ainda por meio deles, podemos saber que falsos rumores devemos encarregar os espiões sacrificados de espalhar para envenenar o inimigo; e é, ainda, graças a eles que os espiões preservados poderão agir no momento certo."

Um dos comentadores de *A arte da guerra* mais célebres dos T'ang fez as seguintes observações a propósito da espionagem. Elas não deixam de ser pertinentes:

"Mas do mesmo modo que utilizo agentes para operações subversivas no campo do adversário, o adversário também utiliza espiões para realizar operações secretas no meu campo. Eu envio agentes secretos ao país dele e ele envia agentes secretos ao meu. Contudo, com lógica e com espírito de observação, não sofremos perdas. Se o inimigo manda alguém observar meus pontos fracos e meus pontos fortes, estudar os movimentos de minhas tropas e descobrir meus planos, ou realizar qualquer outra atividade de espionagem, eu finjo que nunca desconfiei dele; ao contrário, eu recebo, retenho e ofereço a ele uma boa refeição, e dou um jeito de lhe contar banalidades e desinformá lo, enganando o, por exemplo, a respeito da data de nosso encontro. É assim que trato de lhe causar dano. Ou por conseguir fazer com que seus agentes mudem de lado, ou por fazer com que ele tome meus vazios pelos meus cheios, eu aproveito para chegar aos meus fins.

A espionagem é como a água: ela permite que um barco flutue, mas também é por causa dela que os barcos viram ou vão a pique. Do mesmo modo, é graças aos espiões que podemos realizar nossos objetivos, mas também é pelos espiões que conhecemos o fracasso e a ruína."

De um ponto de vista estritamente militar, o caso mais hábil de recurso aos espiões foi provavelmente o da batalha da Falésia Vermelha. Tcheou Yu fez um uso tão extraordinário dos agentes duplos que o adversário se amoldou inteiramente aos seus planos. Ele armou uma encenação com Houang Kai para tornar crível sua traição e ganhar a confiança de Ts'ao Ts'ao. Mandou P'ang Tong soprar no ouvido dele o plano dos juncos encadeados, que deveria dar plena amplitude ao ataque com fogo. O recurso ao arsenal completo de todos os tipos de espiões permitiu que ele realmente estendesse o "fio mágico" da mentira em torno do adversário.

A tentativa de subversão mais rocambolesca do período dos Reinos Combatentes, e talvez de todos os tempos, conduzida por agentes duplos é incontestavelmente a dos irmãos Sou. Eles conseguiram se infiltrar no nível mais alto do Estado e tiveram um papel tão ambíguo que é impossível saber a qual dos mestres que os contrataram eles serviram, ou não serviram, se o Ts'i ou o Yen, a não ser que por trás disso tudo houvesse um terceiro ladrão – o Ts'in, por exemplo. De tanto ser duplos, acabaram infinitos.

Sou Ts'in, originário de Louo-yang, capital dos Tcheou do Leste, é um retor itinerante que tenta fazer nome colocando sua ciência a serviço da política e da diplomacia. Depois de muitos dissabores, a sorte acaba sorrindo para ele. Encontra um eco favorável junto ao príncipe de Yen, Estado semibárbaro da China setentrional, estabelece em torno dele uma coalizão e torna-se primeiro-ministro de seis Estados de uma vez só. Quando a liga se desfaz – por culpa da potência oriental, o Ts'i –, temendo perder o crédito depois de seu fracasso e da descoberta de sua ligação com a mãe do rei, de quem era amante, Sou Ts'in conspira a ruína do Ts'i com o rei do Yen, exila-se no Leste, onde é recebido de braços abertos pelo rei Min, e atua no nível mais alto do Estado como agente duplo, tratando de arruinar o crédito e as alianças do rei com outros príncipes empurrando-o para uma política dispendiosa e belicista. Para completar, altos oficiais, invejosos de sua influência, mandam um matador de aluguel assassiná-lo. Depois de sua morte, a traição é descoberta.

Sou Ts'in tinha um irmão, Sou Tai, que assume a tarefa. Aproveitando o pânico que se apoderou do rei de Yen após a descoberta da traição de seu agente, Sou Tai oferece seus serviços. Enviado ao Leste como embaixador, ele consegue, como seu irmão mais velho, tomar o controle da política do país. Dessa vez não para arruiná-lo, mas para aniquilar o Norte, ao menos à primeira vista. Ele facilita as manobras do primeiro-ministro, Tseu-tcheu, seu sogro, certo de que a tentativa de usurpação deste não deixaria de provocar uma guerra civil, dando pretexto ao Ts'i para se meter nas questões internas do Yen. Esse episódio é um dos mais tenebrosos da história desse período. Não haveria, por trás desses atos aparentemente contraditórios, um desses planos de fundo duplo ou triplo que podem levar várias gerações para se realizar? A aliança matrimonial com a filha de Tseu-tcheu, o usurpador, homem ambicioso, mas de visão curta, e as intrigas na corte do Yen teriam sido apenas uma cobertura destinada a ocultar uma combinação infinitamente mais ampla e mais sutil. No terceiro ato de sua carreira, Sou Tai exerceu sobre o Ts'i a influência calamitosa que havia exercido primeiro no Norte, servindo como ministro... ao rei de Song, a soldo do Ts'i, incitando a arrogância do presunçoso reizete para, com suas contínuas invasões contra os vizinhos, dar pretexto à potência oriental para ocupar e, em seguida, anexar o Song – anexação esta que forneceu o motivo para a formação de uma coalizão de senhores contra o Ts'i, à frente da qual estava o Yen.

Mas quem pode garantir que Sou Ts'in morreu realmente da maneira descrita pelas crônicas? Nós ainda o vemos em ação muito tempo depois de seu suposto assassinato; e os dois irmãos são constantemente confundidos, tanto que um conhecedor como Henri Maspero, negando qualquer realidade histórica aos personagens, falava de "um romance de Sou Ts'in".

A exumação de um túmulo Han de cartas escritas por Sou Ts'in para diferentes monarcas e, em particular, de missivas secretas para o rei de Yen, embora invalide de forma categórica a hipótese de Maspero, longe de elucidar o mistério, apenas aumenta o imbróglio. Se considerarmos que Tai significa "substituto", é muito provável que, assim como ocorre nos bons romances de espionagem de Agatha Christie, Sou Tai não passe de um avatar de Sou Ts'in, e que a morte deste último tenha sido uma encenação armada com objetivos que nos escapam.

苦肉计
KU ROU JI

TRIGÉSIMO QUARTO ESTRATAGEMA

O estratagema das sevícias corporais

É difícil acreditar que alguém possa fazer mal a si mesmo; assim, convém que as sevícias sejam reais. Se conseguirmos fazer com que o falso passe por verdadeiro e o verdadeiro por falso, o espião infiltrado terá todas as chances de chegar aos seus fins. Ou, para falar como o *Livro das mutações*: "O caráter ditoso da cegueira da infância vem do fato de ela ser obediente e bondosa".

Comentário:

Os espiões servem para semear a desconfiança no campo adversário; os espiões regressados servem para dar corpo às suspeitas infundadas do inimigo. Quanto à encenação do castigo corporal, ela visa a simular que somos vítimas das tramóias do espião, quando na verdade ele trabalha por nossa conta. Sempre que se trata de fingir que existe discórdia entre aquele que contratamos e nós, a fim de induzir a parte adversa ao erro, quer tenhamos nos entendido para agir em conjunto, quer tenhamos entrado em acordo para unir nossas forças, recorremos de uma forma ou de outra a esse estratagema.

❖ ❖ ❖

O compilador põe o estratagema sob o patrocínio do hexagrama 4, *Mong*, "Cegueira", citando o comentário simbólico do traço yin na quinta posição. A razão por que essa sentença foi escolhida não é das mais claras. Em primeiro lugar, provavelmente o próprio título do hexagrama, "Cegueira", deve ter desempenhado seu papel: trata-se de fato de cegar a parte adversa. Em segundo lugar, se examinarmos a configuração que justifica a glosa, veremos que uma linha feminina, fraca, ocupando uma posição central, ímpar e masculina, encontra-se abaixo de um traço yang, masculino, forte, empoleirado no topo do hexagrama. Podemos ver aí a imagem de um soberano fraco, que facilmente se deixa influenciar, o que é proveitoso para as tramóias daquele que sabe se mostrar forte e corajoso. Por outro lado, e sem que as duas interpretações se excluam, a configuração também pode valer para o espião que sabe se submeter a um tratamento humilhante e dar mostra de docilidade (ele está situado no topo do trigrama nuclear superior, *K'ouen*, Terra, cujo atributo é a obediência e a humildade) para fazer a causa de seus superiores triunfar.

O estratagema é um caso particular do estratagema anterior. Para aumentar a credibilidade dos agentes, às vezes é bom submetê-los a sevícias reais. Podem ser suplícios corporais, como foi o caso de Houang Kai, ou pode ser também a execução da esposa ou dos filhos, como no caso de Yao Li, que estaria, na verdade, mais para um matador de aluguel do que para um espião, porém esses dois tipos de homens têm muitos pontos comuns, como o fato de os espiões poderem se encarregar da eliminação física de indivíduos considerados perigosos por aqueles que os contratam. O *Liu-cheu Tch'ouen-ts'ieou*, enciclopédia cosmológico-filosófica redigida sob o patrocínio do primeiro-ministro do Ts'in, Liu Pou-wei, relata da seguinte maneira a história desse traidor sublime:

"Para poder matar o príncipe Ts'in-ki, a quem seu mestre, o rei de Wou, devotava um ódio inexpiável, Yao Li sacrificou sua mulher e seus filhos. Eles foram executados pelo rei e suas cinzas foram espalhadas ao vento. Assim, ele pôde conquistar a confiança de Ts'in-ki e jurar-lhe fidelidade. Em seguida, convenceu-o a ir ao Wou para assassinar o rei e saciar a vingança de ambos. No momento em que atravessavam o rio Azul, Yao Li tentou varar o príncipe com sua espada; infelizmente Ts'in-ki evitou o golpe e, pegando o espadachim do Wou pelo meio do corpo, jogou-o na água, mas Yao Li voltou à tona. Por três vezes, Ts'in-ki tentou afogá-lo, em vão. Cansado da guerra, poupou-lhe a vida. Yao Li retornou ao Wou, onde o soberano lhe ofereceu um feudo pela dedicação, apesar de a tentativa ter fracassado. Mas Yao Li recusou: ...... 'Mandar assassinar sua mulher e seus filhos', disse ele, 'e espalhar suas cinzas ao vento é crueldade; trair um novo mestre em nome de uma antiga fidelidade é perfídia; enfim, fracassar numa empreitada e ser agraciado é uma grande vergonha! Quem carrega pecados semelhantes não merece viver', e cortou a garganta."

连环计
LIAN HUAN JI

TRIGÉSIMO QUINTO ESTRATAGEMA

O estratagema em cadeia do inimigo encadeado

Diante de um inimigo que dispõe de superioridade de tropas numerosas e bem dirigidas por uma multidão de oficiais, convém fazer com que ele mesmo se amarre de pés e mãos, a fim de reduzir seu poder. É o que se chama de "encontrar a fortuna no meio do exército, pois se recebe o apoio do Céu".

Comentário:

P'ang T'ong deu um jeito de fazer Ts'ao Ts'ao prender seus juncos de combate uns aos outros, de modo que nenhum conseguisse escapar das chamas quando ele incendiasse a frota. Sendo assim, o estratagema do inimigo encadeado consiste em darmos um jeito de o inimigo se entregar de pés e mãos amarrados aos nossos golpes. Num primeiro momento, nós o amarramos; num segundo momento, nós o agredimos. Utilizamos, portanto, dois estratagemas seguidos para aniquilar o poder do outro. Foi assim que, sob os Song, Pi Duplo Encontro provocou o inimigo para o combate, ora avançando, ora recuando; quando, depois de mais de quatro dessas escaramuças, ele viu que estava anoitecendo, deu ordem para que espalhassem, pelo chão, os feijões-pretos que ele havia mandado cozinhar com ervas aromáticas; em seguida, foi novamente ao encontro do inimigo, fingiu-se de derrotado e o inimigo, explorando a vantagem que tinha, lançou-se no encalço dos fujões, mas as montarias esfaimadas, atraídas pelo aroma apetitoso dos feijões, pararam para comer e se recusaram a avançar, apesar das chicotadas. Vendo isso, Duplo Encontro mandou o exército dar meia-volta e passou ao contra-ataque, infligindo ao adversário uma derrota dolorosa. Essa é mais uma aplicação do estratagema.

O estratagema faz referência a um dos episódios mais célebres dos *Três reinos*. Graças a esse ardil, Souen K'iuan conseguiu conquistar uma grande vitória contra a frota de guerra de Ts'ao Ts'ao na batalha da Falésia Vermelha.

A fórmula "encontrar a fortuna no meio do exército, pois se recebe o apoio do Céu" é uma citação do comentário simbólico do traço yang na segunda posição do hexagrama 7, *Cheu*, "Exército". O comentário fala de apoio do Céu por causa da configuração das linhas: a linha masculina está ligada a uma linha yin, que corresponde a ela estando na quinta posição, designada como a posição do céu. Mas aqui, no meu entender, o autor pisca para o leitor, evocando de forma alusiva a cena em que Luz da Razão invoca o Céu para que sopre o vento leste, uma maneira de lembrar que o homem põe e Deus dispõe.

O comentador joga com o duplo sentido de "encadear" e tanto remete ao ardil de Tcheou Yu, que incita Ts'ao Ts'ao a encadear seus juncos uns aos outros para formar uma ponte flutuante, quanto pretende mostrar que esse encadeamento dos juncos se insere num encadeamento de estratagemas que deve levar à vitória. Em outras palavras, ele sugere que nenhum estratagema sozinho pode dar resultados e que só é eficaz enquanto elo de uma série de movimentos táticos, à maneira de um elemento único, num conjunto orgânico, em que a totalidade vale mais que a soma das partes, ao mesmo tempo em que cada parte só existe como elemento do todo. Do mesmo modo que a traição de Houang Kai é um meio em relação a um fim, ou seja, incitar Ts'ao Ts'ao a prender os juncos uns aos outros, assim também a manobra está subordinada ao projeto geral de incendiar a frota inimiga, que se tornou possível graças ao uso do arsenal completo dos ardis e dos estratagemas.

走为上

ZOU WEI SHANG

TRIGÉSIMO SEXTO ESTRATAGEMA

Mas a fuga ainda é o melhor...

De fato, ela permite que se mantenha intacto seu potencial, evitando o exército adverso. Como diz o julgamento divinatório: "O exército bate em retirada; nenhuma culpa. Ele não se desvia da norma".

Comentário:

A superioridade do inimigo é esmagadora; nós nos vemos na impossibilidade de travar combate. Temos apenas três alternativas: render-nos, negociar ou fugir. Se capitularmos, a derrota será total; se negociarmos, será uma meia derrota; mas se fugirmos, evitaremos a derrota. Ora, enquanto não formos derrotados, sempre poderemos contar com uma reviravolta na situação. Assim, o general dos Song, Pi Duplo Encontro, vendo-se diante dos acampamentos dos Jürchen, abandonou seu campo durante a noite, deixando para trás, para enganar o inimigo, bandeiras e estandartes desfraldados, assim como carneiros vivos pendurados pelas patas traseiras e com as patas dianteiras apoiadas em tambores, que eles golpeavam desesperadamente e faziam ressoar por não suportar o desconforto da posição. Desse modo, os Jürchen não desconfiaram de nada e permaneceram assim, durante vários dias, acampados diante das posições inimigas. Quando descobriram a trapaça, o exército do Song já estava longe. Isso é o que se chama "distinguir-se na fuga".

É mais uma vez ao hexagrama 7, *Cheu*, "Exército", que serviu ao estratagema anterior, que se refere o compilador. Mas dessa vez a fórmula é tirada do comentário simbólico de um traço yin na quarta posição. Uma tradução literal seria: "O exército instala seu campo na esquerda", o que, nos manuais de estratégia antigos, indica uma posição de recuo. A retirada está implicada na natureza do traço, fraco, maleável, que se encontra numa posição par, feminina, portanto fraca. Ao mesmo tempo, porém, ela ocorre dentro das regras, porque o traço está em sua posição correta. Não há nenhuma necessidade de glosar a razão por que essa fórmula foi escolhida.

O comentador antigo e os exegetas modernos depois dele relatam um número impressionante de fugas táticas e estratégicas que permitiram a corpos de exército não só preservar seu potencial, como, ainda, retomar a vantagem. Poderíamos citar ainda a fuga de Horácio diante dos três Curiácios, que foi o ardil supremo. De resto, quando um deus acende o *menos,* a fúria guerreira, no coração de um combatente adverso, mesmo os heróis de Homero preferem se desviar prudentemente de seu caminho, quando não desatam pura e simplesmente a correr. Todavia, a meu ver, seria trair a intenção primeira do autor dos *36 estratagemas*: dar um sentido estratégico ao que não é estratégico, ao que está aquém e além da estratégia e constitui o fundamento da guerra. Concluindo a lista dos ardis com a fuga e apresentando-a como o *nec plus ultra* da arte militar, ele toma uma distância irônica do discurso marcial e, negando levar a sério demais, escapa do ridículo dos pretensos especialistas em polemologia, com suas teorias pedantes e seu saber estreito. Distinguindo-se dos fomentadores de guerra, dos Maquiavéis de fundo de quintal e dos Napoleões do café do Comércio, junta-se a Sse ma Ts'ien, que estigmatiza o gosto do general Tchao T'ouo pelas discussões teóricas sobre assuntos estratégicos; a Tolstoi, que em *Guerra e Paz* imagina um Clausewitz desvairado à procura dos batalhões que seu dogmatismo levou à derrota; e finalmente a Proust, que em *O tempo recuperado* faz esta reflexão desabusada a respeito da guerra de 1914: "Se este ou aquele sai repetindo que a estratégia é uma ciência, isso não ajuda em nada a compreender a guerra, porque a guerra não é estratégica. O inimigo conhece tanto nossos planos como nós sabemos os objetivos pretendidos pela mulher que amamos, e esses planos, talvez, nem mesmo nós os saibamos."

Concluindo seu fino opúsculo com a fuga, e desse modo transformando o procedimento estratégico em matéria para gozação, o autor mostra na mesma ocasião, talvez sem saber, que a gozação é ela própria uma fuga estratégica. O fraco foge e se esconde, cedendo o lugar para o forte. Uma carreira desabalada é obviamente um bom meio, mas existem outros, com mais espírito, nos dois sentidos da palavra. Resta outra escapatória: a tirada espirituosa. Ela conduz a pequenos continentes adjacentes e insuspeitos, leva a terras que não constam em nenhum mapa e onde o inimigo não pode nos seguir sem sofrer dano. Para falarmos como Ernst Bloch em

Traces, ela opera uma mudança de campo, ao passo que as guinadas da lebre modificam a direção, mas não o espaço. Quando se está encurralado, a gozação abre a porta secreta e permite fugir para um lugar onde ninguém irá procurar, porque não sabe que surpresas ele reserva. Mesmo que não se suma levantando vôo diretamente para o céu, ainda é possível pegar a tangente e sair de lado, desconcertando o adversário pelo riso. Essa é a maneira elegante com que um jovem prodígio, posto com o irmão, diante do imperador, se safou de uma situação delicada. O imperador, vendo que escorria suor do rosto do mais velho, perguntou: "Por que você está transpirando?". "Estou tão trêmulo e emocionado que o suor jorra do meu rosto", respondeu o menino. O imperador fez uma cara satisfeita e, reparando no mais novo: "E você, por que não está transpirando?". "Estou tão trêmulo e emocionado que meu suor não se atreve a escorrer", responde o outro, sem pestanejar. Essas respostas não poderiam figurar dignamente entre essas famosas *beffe* dos heróis e heroínas de Boccaccio, ele que dedicou a sexta jornada do *Decamerão* "àqueles que, vítimas de um ataque, o repelem com uma tirada espirituosa e àqueles que, pela rapidez da resposta ou pela destreza da invencionice, se esquivam de um perigo, de um dano ou de uma afronta"? Para dizer a verdade, esse tema percorre toda a obra, como mostra a narrativa da parábola dos três anéis, graças à qual o judeu Melquisedeque conseguiu se esquivar da armadilha em que o sultão quis pegá-lo para roubar seu ouro. Graças a uma fábula muito oportuna, ele conseguiu dizer que das três religiões, a judaica, a maometana e a cristã, apenas uma é verdadeira e, ao mesmo tempo, que ninguém pode saber qual delas é, como os dois anéis forjados sobre o modelo exato da jóia verdadeira que permitem a um pai imparcial não espoliar nenhum de seus filhos, que ele ama igualmente. Não só o judeu se safou com uma pirueta espirituosa de uma questão teológica capciosa, que poderia ter conseqüências desastrosas para ele, como mostrou ter compreendido perfeitamente as intenções de seu interlocutor.

QUADRO DOS 64 HEXAGRAMAS

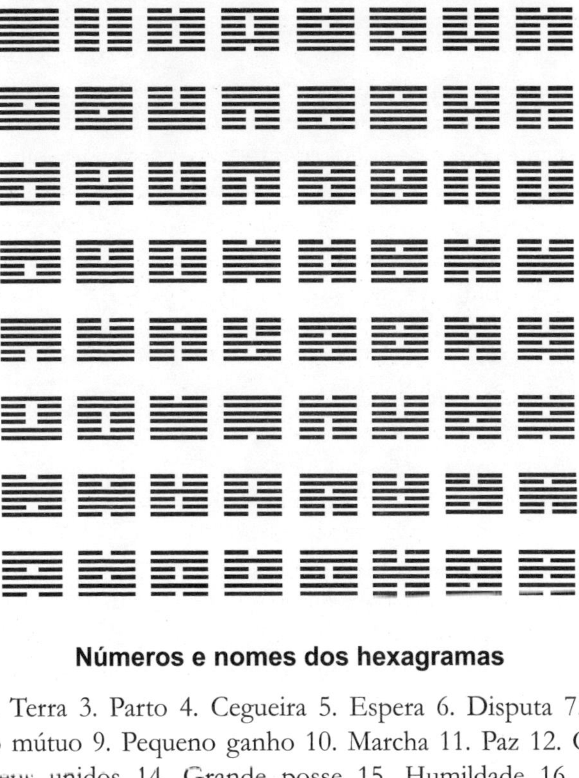

Números e nomes dos hexagramas

1. Céu 2. Terra 3. Parto 4. Cegueira 5. Espera 6. Disputa 7. Exército 8. Auxílio mútuo 9. Pequeno ganho 10. Marcha 11. Paz 12. Obstrução 13. Homens unidos 14. Grande posse 15. Humildade 16. Entusiasmo 17. Fidelidade 18. Trabalho 19. Dominação 20. Observatório 21. Mastigação 22. Adorno 23. Espoliação 24. Retorno 25. Franqueza 26. Grande ganho 27. Ventre cheio 28. Grande excesso 29. Água 30. Fogo 31. Atração 32. Perenidade 33. Retirada 34. Grande vigor 35. Avanço 36. Eclipse 37. Família 38. Oposição 39. Obstáculo 40. Liberação 41. Diminuição 42. Aumento 43. Brecha 44. Encontro 45. Reunião 46. Alçar vôo 47. Opressão 48. Poço 49. Revolução 50. Caldeirão 51. Trovão 52. Montanha 53. Progresso 54. Noiva 55. Abundância 56. Viagem 57. Vento 58. Amenidade 59. Dissolução 60. Restrição 61. Foro interior 62. Pequeno excesso 63. Conclusão 64. Inconclusão.

NOSSAGRAF - Gráfica e Editora Ltda.
Av. Tiradentes, 645 - Rancho Grande - Itu / SP
Tel.: (11) 4024-1511 / Fax: (11) 4023-0495
e-mail: nossagraf@nossagraf.com.br